色·우리색

색으로 채워진 여백

1판 1쇄 발행	2024년 2월 20일
지은이	김은희
펴낸이	유정서
펴낸곳	㈜디자인밈	월간민화
	서울시 종로구 삼일대로 30길 10-3, 각연빌딩 6층
	Tel. 02-765-3812	www.artminhwa.com

色 · 우리색

색으로 채워진 여백

전통 채색화가
김은희 작품집

DESIGN MEME

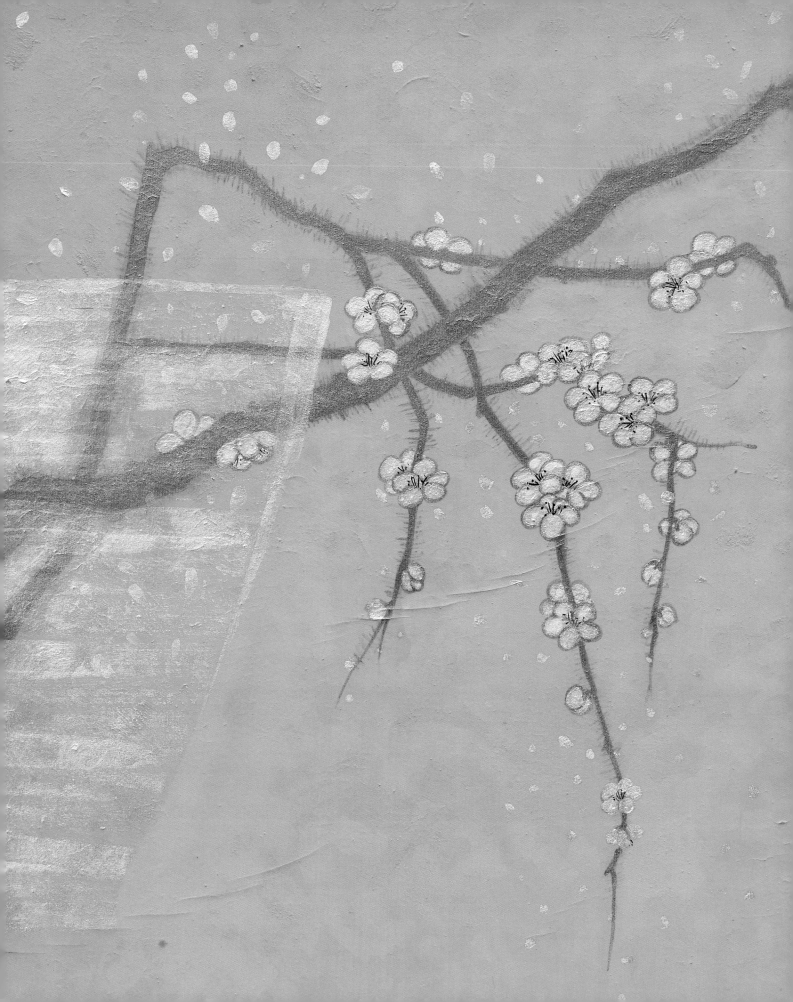

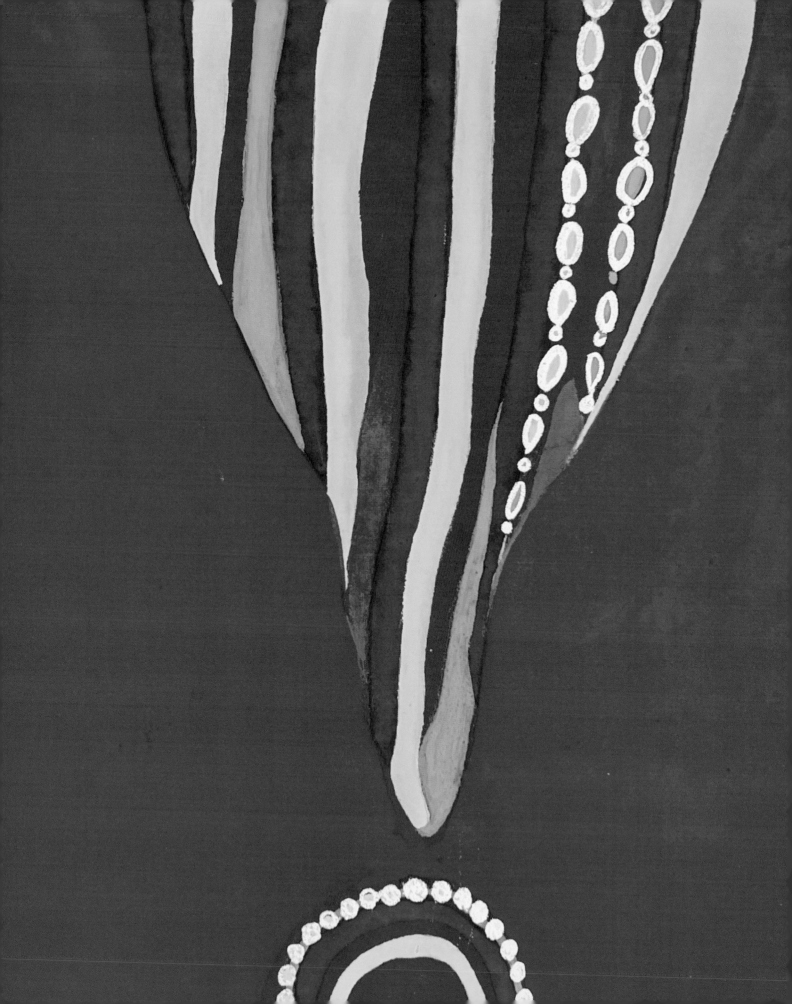

관습을 넘어선 새로운 길

홍경한
미술평론가

해방 이전부터 서양미술의 유입이 이뤄지고 1950년대 후반 이후 현대미술에 대한 논의는 활발해졌지만 반대로 우리 미술의 진정성에 대해서는 소홀한 측면이 있다. 단선적으로 진보와 실험성이 당대의 화두로, 오늘까지 이어져 오면서 표피적인 시류(時流)에 민감했을 뿐 순수 우리 미술에 대한 본질적 물음이 전제된 것은 아니었다.

물론 토착화되었거나 토종성을 갖는 것에 대한 문제는 누구나 한 번쯤은 생각해 보는 숙명적 관념이기도 했지만 마땅히 답을 내리기도 어려운 문제였음이 분명하다. 단순히 우리나라 지역산천을 답습하고 습속(習俗)의 성격을 갖는 무언가를 그려낸다고 하여 그것이 우리 것이라고 단정하기도 쉽지 않거니와 그 내용 역시 보편적인 전통성을 따른다고 하여 딱히 우리 것이라 주장 할 수는 없기 때문이다. 한때 토종 미술운동인 민중미술이 시대적 상황과 맞물려 마치 우리 미술의 진정함처럼 역설(逆說)된 시절이 있었으나 담론의 형성은 미약했던 것도 사실이다. 외국의 사조와 철학적 개념을 변용, 무비판적으로 흡수하며 나름의 독창성을 찾아가며 우리 것에 대해 연구하기도 했으나 짧은 현대미술의 역사 속 태생의 한계를 넘어서지 못해 왔음 역시 부정하기 어렵다.

이처럼 우리 미술의 진정성에 대한 문제는 100년 남짓한 한국 근·현대미술사에서 지속되어 온 의문이었고 여전히 앞으로도 풀어 나가야 할 과제이다. 다만 여기서 중요한 것은 매 순간이 어제의 그것과는 판이한 미술의 흐름에 있어 우리 작가들이 과연 어떤 방식과 접근법을 통해 우리 것의 중심을 바라보느냐는 것에 있다. 그리고 작가 김은희의 작품들은 그 한국성과 동시대미술의 변화 속에서 고찰의 여지를 준다.

김은희의 화사(畫史)는 '우리 것'에 대한 자문과 맞물린다. 민족적-민화적 소재와 색을 사용하여 자신만의 채색화에 관한 그의 고민은 긴 시간 이어온 화업(畫業) 만큼이나 짙었고, '맥(脈)'의 유지라는 측면에서 일단의 성과도 있었기 때문이다. 역사 속 인물의 새로운 발굴과 조명 또한 그가 남긴 또 다른 흔적이랄 수 있다.

지난해 필자는 그의 전시 서문에서 다음과 같이 썼다. "김은희는 한국 문화에서 중시해 온 자연의 미를 채색으로 승화시키거나 역사적 장면을 인물로 담아내며 회화의 지평을 넓혀왔다. 전통채색화에 대한 남다른 의식과 가치관으로 우리 것에 대한 애정을 이어오고 있다. 특히 그는 한국적 회화 양식의 본질을 탐구하고 우리 전통 채색화의 맥을 계승하기 위해 노력하는 한편, 이를 논리적, 실천적으로 밝히는 일을 게을리하지 않아 온 작가라고 할 수 있다."

지금도 그렇다. 그의 그림은 한국적 품위를 지닌 아취와 안정적인 색채 감각 등을 특징으로 한다. 빛을 품은 선(線)과 그 결정체인 색(色), 그리고 시공간을 넘나드는 조화의 미는 우미한 채색과 정교함을 바탕으로 빚어지며 이는 다시 비움의 드러남이요, 채움의 여백이라는 조형을 낳는다. 이는 한마디로 "한국적 회화 양식의 본질을 찾아 우리 전통 채색화를 계승하는 한편, 이를 논리적, 실천적, 실험적으로 밝히며 넓히는 일을 게을리 하지 않는다."로 정리할 수 있다.

더구나 그의 그림은 수십 차례 덧칠하며 완성된 밀도를 통해 제 색을 내는 질료의 특성과 기법에 기대고 있다. 한국적 색채 확립에도 심혈을 기울인다. 그것은 바로 청(靑), 적(赤), 황(黃), 백(白), 흑(黑)의 오방색(五方色)이다. 이는 전통채색화에 대한 남다른 의식과 가치관 탓이 크다.(물론 이러한 양태가 무언가를 얻기 위해서는 아니다. 누군가는 해야 할 일이라는 소신과 판단이 낳은 결과이다. 그리고 그러한 소신과 판단은 작가로써 혹은 후학을 양성하는 입장에서도 중요한 나침반이 되고 있다.)

하지만 그의 그림 특징은 어느 하나에 구속되지 않는다. 언뜻 민화의 얼개를 갖고 있음에도 현재의 어떤 작품 못지않다는 것이 그것을 증명한다. 단순화하거나 과장된, 대범한 경향, 관조적인 형식을 이용한 원색의 강렬함, 시점 없는 도식(圖式) 등, 그의 작품에서 확립된 여러 가지 특징은 동시대 미술에서의 쓰임과 별반 다르지 않아 고전과 현대, 양자 간 묘한 순환성을 내포한다 해도 틀리지 않다.

실제로 김은희는 정형적인 틀에서 안주하지 않았다. 양식적 구분을 해체하려 했고, 장르를 넘나드는 실험성을 내보였다. 자타가 인정하는 채색화를 잠시 내려두고 어느 날 갑자기 영상작품을 선보이는가 하면, 철저한 고증을 거쳐 추정한 '백제왕비'의 초상을 내놓기도 했다.(백제왕비의 초상은 습관적 '틀'로부터의 이탈하려는 작가의 남다른 의지를 보여줌과 동시에 새로운 소실점을 향한 의미 있는 발자국이라는 점에서 특별하다고 할 수 있다.) 성모마리아가 등장하는 일종의 종교화도 같은 결을 지닌다.

이와 같은 흐름은 한마디로 질료와 감각, 매체 확장을 통한 의미의 재발견이자 전통적인 흐름을 고수하면서도 기존의 양식을 하나씩 풀어가려는 작가의 태도, 그 연장으로 볼 수 있다. 새로운 양식의 구축을 위한 작가의 끝없는 관심-노력이라 해도 무방하다. 필자는 이 부분을 높이 산다.

사실 김은희의 그림은 그냥 그린다는 행위에 멈춰 있지 않다. 오랜 시간의 자문과 해답으로 채워진 그림이자 색깔이다. 애초 황량한 화면을 강렬하게 이끄는 그 색깔들에겐 다양성이 내포되어 있다. 그가 논하는 색깔은 한국 고유의 전통 색깔, 즉 오방색(오방정색,五方色)을 기초로 한다. 밝고 맑고 깊은 맛이 우러나는 우리의 색깔을 작품의 근간으로 한다는 것이다. 작가의 말처럼 이는 동양 전통의 선(禪) 사상 중 '돈오(頓悟)' 사상이 아닌 '점수(漸修)' 사상을 이어받았다 할 수 있을 것이다. 빛이 쪼개져 색을 낳고 그 색이 균형을 유지하여 에너지를 갖게 되는 구조다. 그러나 무엇보다 작가의 실험적 태도는 눈여겨봐야 할 대목이다. 연속성을 띠는 데다, 작가가 말하고자 하는 내용적 측면을 보다 견고히 하는 장치로써 손색이 없다. 장르 간 경계 없는 오늘의 시도는 습관적으로 행하던 조형 방식을 해체함을 넘어 '나'에게 주어진 틀을 뛰어넘는 계기가 될 수 있기에 그 안에 내재 된 가치도 작지 않다.

이 밖에도 김은희를 말하며 덧댈 이야기는 많다. 천지만물이 끊임없이 변화하는 자연현상의 원리를 알기 위해 각종 철학을 접하고 연구하는 등, 좁게는 조형의 새로운 길을 위해, 넓게는 예술과 인간에 대한 근원성, 연관성을 찾기 위해 몰입해 왔다는 점도 그중 하나이다.(그의 그림에 자주 등장하는 자연만 해도 그렇다. 외적으론 하나의 이미지이자 작가의 시선에서 포착한 자연의 표상일 수 있지만, 작가의 미적 의지가 투사된 결과물이라 해도 과언이 아니다. 추상적으로 접근한 주제들도 동일하다. 대상의 본질을 궁금하게 만드는 초상화도 그 중 하나이다.)

이처럼 김은희는 스스로 자리한 다층적 위치와 충돌로 새로운 길을 만든다. 어느 한 방향으로의 치우침이 없이 작자(作者)와 타자 사이를 일종의 균형의 미를 유지한다. 전통과 현대조차 정확한 균형(均衡)에 의해 조정되며 그가 고집스럽게 품어 온 주제들은 선대의 맥락 내에 위치함과 더불어 자유로운 선 넘기를 통해 누구도 알 수 없는 미지의 세계를 열람하게 한다.
이제 그가 추구하는 그림은 쉽게 말해 사람들에게 에너지를 줄 수 있는 그런 그림이다. 그의 색은 우리의 오방색이고 이는 작은 우주인 우리 인간과 밀접하게 드러난다. 필자는 그의 그림이 색깔을 잉태한 빛처럼, 그 빛이 매체에 안착되어 보다 널리 퍼져 나가길 기대한다. 작가가 궁극적으로 도달하려는 '사유의 공명' 차원에서라도 현재의 실험적 경주가 지속되었으면 하는 바람이다.

한편 김은희는 그동안의 화사를 정리한 책자를 펴내기로 했다. 앞서 언급한 내용들이 그림과 텍스트로 질서정연하게 들어설 예정이다. 발간과 동시에 전시도 개최된다. 이번엔 어떤 작품들이 관람객을 맞이할지 궁금해지는 게 사실이다. 물론 필자의 기대와 달리 작가 자신은 아직 성에 차지 않을 수 있고 독자적 언어에 요구되는 단어와 숙어 역시 많겠으나 이번 기회를 통해 특유의 도전 의식과 그로 인한 미의 지평 확장, 의미의 재발견이 가능해지리라 여긴다.

"한국화가이시면 수묵화를 그리시겠네요?"
"한국화인데 서양화 같아요!"

한국화가라 나를 소개할 때 흔히 듣는 말이다. 그만큼 우리나라 사람에게 조차 한국화는 '수묵화'라는 인식이 고착되어 있다. 그러나 고구려 벽화에서도 알 수 있듯, 채색화는 수묵화, 수묵담채화와 함께 한국 전통 회화의 근간이자 그 자체이다. 흔히 채색화를 색이 있는 그림인 색채화와 동일시하는 경우가 있는데, 이 둘의 차이는 재료가 아닌 양식에 있다. 채색화는 반수(礬水)한 바탕재 위에 색을 겹겹이 쌓아 올린 '중첩'으로 표현하는 그림이다.

동양 회화에서는 결과물 못지않게 완성으로 향해가는 과정에 담긴 정신과 가치를 중시한다. 색의 흡수와 번짐을 방지하기 위해 한지를 반수하고, 그 위에 색을 중첩하는 과정에서 많은 노력과 인내, 그리고 기다림을 요하는 채색화는 이러한 동양 회화의 특징을 한껏 담고 있다.

나, 김은희는 전통 재료와 방식을 고수한 우리나라 전통 채색화를 그려낸다.
두터운 한지인 장지 표면의 공극을 메우기 위해 여러 차례 호분 반수 과정을 거친 뒤 먹과 색으로 철저한 밑 작업을 한 다음, 전통 재료인 천연 안료와 염료, 광물성 재료 등의 분채와 석채를 아교로 교착한다. 그리고 반복적인 색의 중첩을 통해 나의 심상과 감정, 그리고 전하고자 하는 바를 아주 서서히 담아내고, 천천히 배어내며, 우아하게 드러낸다.

나의 예술적 여정은 전통의 '우리 색'인 오방색을 중심으로 이에 내포된 전통 문화유산의 보존과 탐구에 뿌리를 두고 있다. '우리 색'을 활용한 작품을 통해 감상자들의 깊은 내면과 교감하고, 따뜻한 공감과 응원이 가득한 편안의 세계로 이들을 초대하고자 한다.

우리 색과 방법으로 쌓은 여백의 길을 고집스럽게 걷는 나의 곁에 항상 희생으로 동행해 주는 나의 동반자와 아이들에게 마음 깊은 감사를 전하며, 나의 길을 바라봐 주는 고마운 분들과 함께 나는 오늘도 여전히 길을 떠난다.

목차
Contents

01
갤러리

GALLERY

어울림, 한지 위에 분채, 석채, 41×32cm

봄바람, 한지 위에 분채, 석채, 53×41㎝

정신없이 걷던 길 위에 잠시 걸터앉아 뒤를 돌아본다.
스쳐가는 바람이 입가에 미소를 짓게 한다.
세월의 흐름 속에서 함께 한 모든 것들 …

길위의 날들 1, 한지 위에 분채, 석채, 46×53㎝

길위의 날들 2, 한지 위에 분채, 석채, 46×53㎝

꿈에…

한지 위에 분채, 석채, 46×53㎝

그리움

한지 위에 분채, 금분 46×53㎝

축복, 한지 위에 분채, 34×46㎝

우리 채색화의 역사는 삼국 시대 고분 벽화, 고려 시대 불화, 조선 시대의 궁중화와 민화로 맥을 이어 왔고,
해방 후에는 일본화라는 오해와 시비를 거쳐 오늘에 이르렀다. 특히 순수한 한국적 미감과 정서로 표현된
민화는 현재 채색화의 중심에 있다.

행복한 날들

김은희는 오방색(五方色)을 선호하는 작가이면서도 색의 쓰임새에서는 정색과 간색
(정색혼합색)을 사용하여 색의 대비와 색의 동화를 적절히 유도하는 표현을 쓰고 있다.
색을 적절히 쓰면 모나지 않고 튀지 않으면서 평온한 마음을 갖는 심리 상태로 우리 의식
가운데 가장 보편적인 조화 상태를 유지할 수 있다.
심상 속에서 표현된 채색으로 감상의 묘를 느낄 수 있다.

행복한 날들, 한지 위에 분채, 석채, 38×46㎝

사랑을 노래하다, 한지 위에 분채, 38×38㎝×2ea

화원, 한지 위에 분채, 163×130㎝

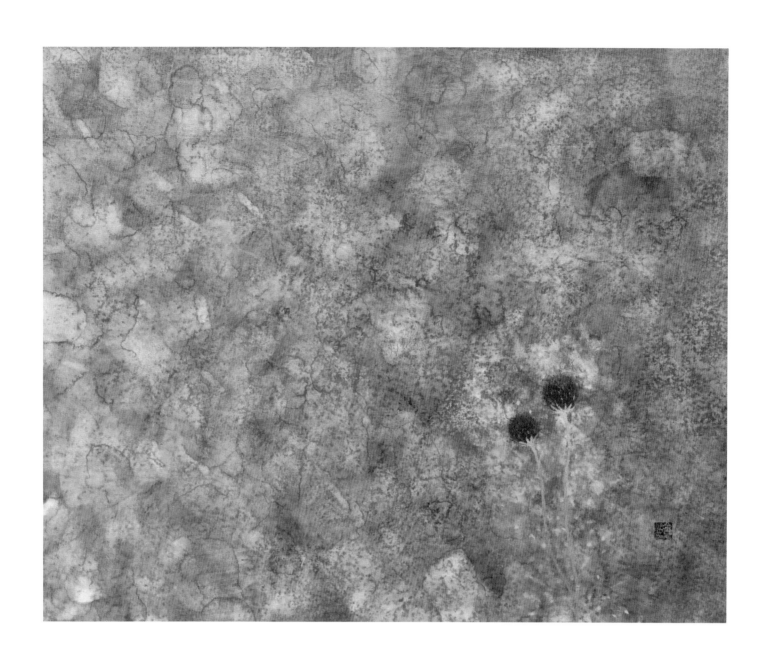

추억의 속삭임 1·2, 한지 위에 분채, 석채, 50.5×60.5cm×2ea

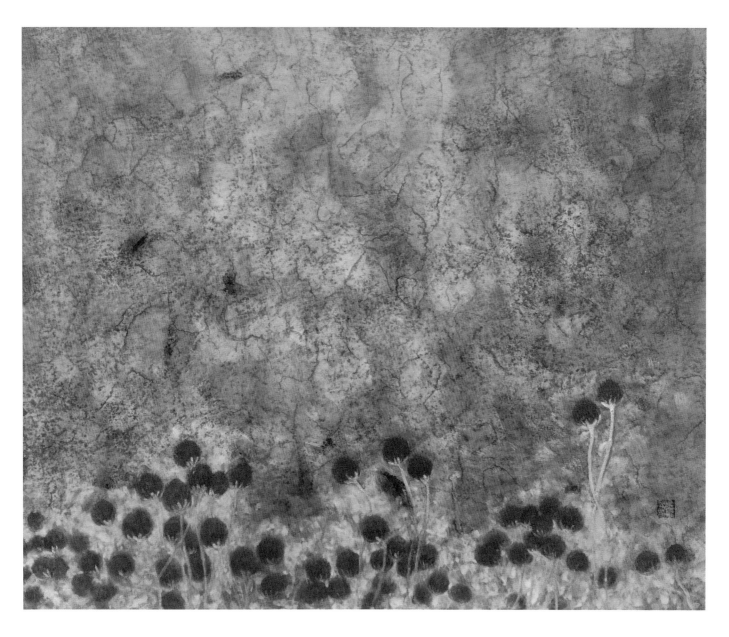

한국 전통 채색화에서 의도되거나 우연적으로 나타난 수많은 색의 중첩은 그리고자 하는
대상 만큼 중요한 작품 구성 요소이다.
꽃이 된 당신의 추억과 그 위에 색색이 쌓인 속삭임에 가만히 귀를 기울여 보길 바란다.

평화로움 1·2, 한지 위에 분채 80×100㎝×2ea

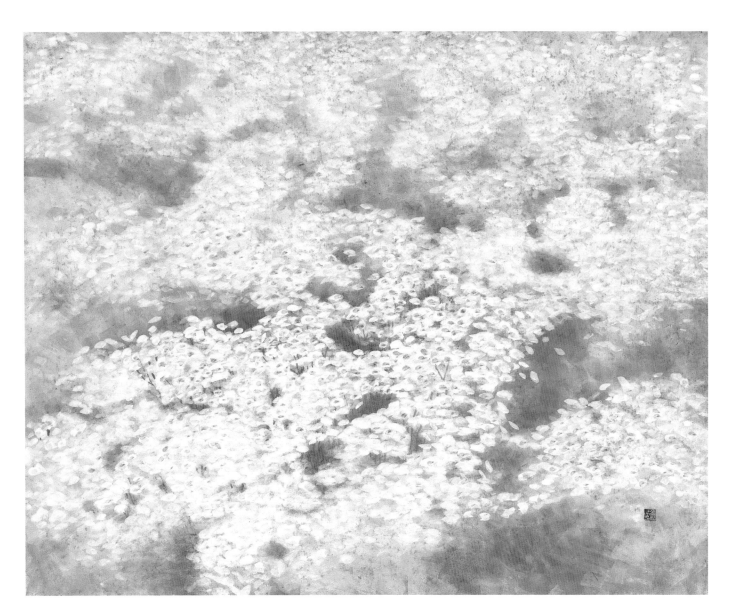

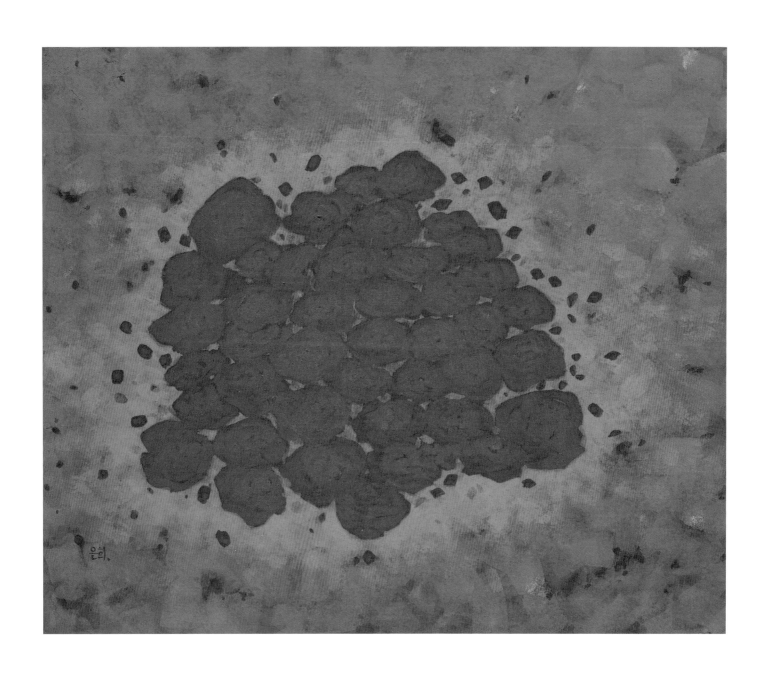

행복한 날에 1·2, 한지 위에 석채, 61×73㎝×2ea

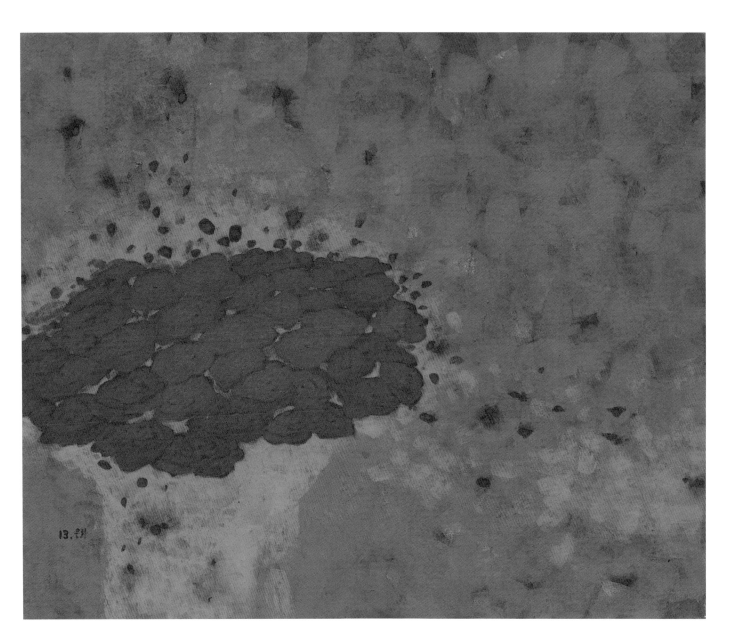

13.秋

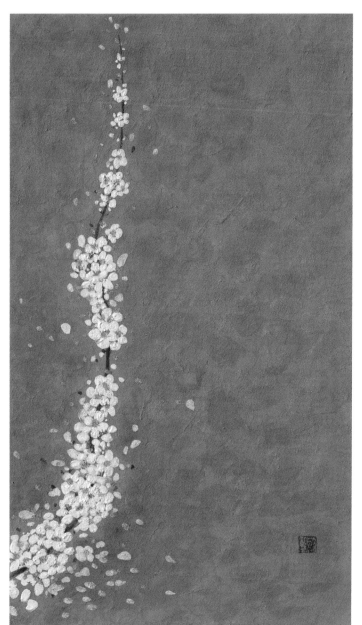

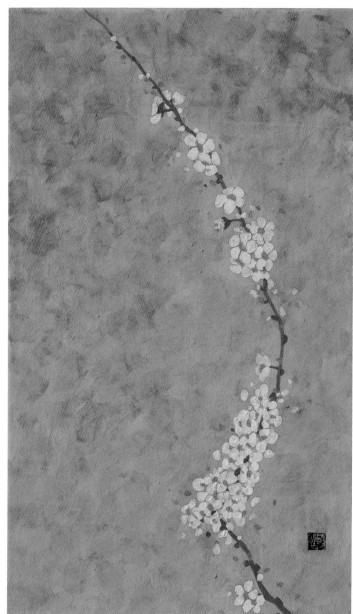

기다리다, 한지 위에 분채, 석채, 금분, 은분, 41×25㎝　　　　　설레임으로, 한지 위에 분채, 석채, 금분, 은분, 41×25㎝

기다림, 한지, 분채, 석채, 금분, 41×25cm

어느 여름날, 한지 위에 분채, 97×130㎝

코스모스 넘어 꿈꾸던 또 다른 새로운 길.

추억속으로, 한지 위에 분채, 112×146㎝

행복 2, 비단 위에 수간채색, 36×43㎝

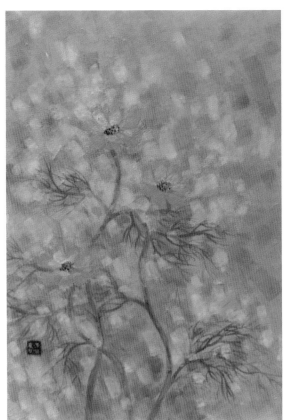 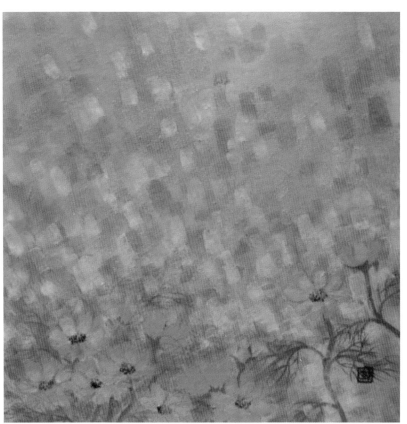

도망치듯 달아난 시간 이야기.

가을이야기 1·2, 한지 위에 분채, 석채, 은분, 41×32㎝ / 32×32㎝

행복, 한지 위에 분채, 130×162㎝

어느날 1, 한지 위에 석채, 73×91㎝

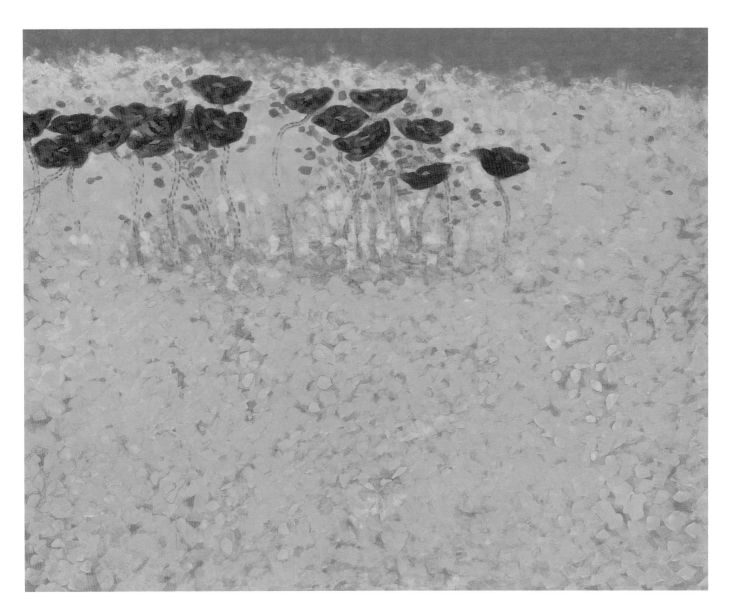

어느날 2, 한지 위에 석채, 73×91㎝

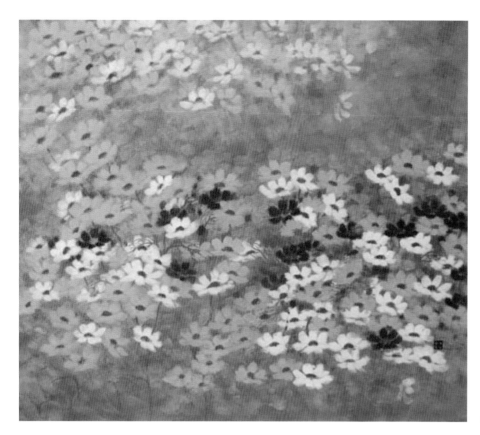

소녀의 마음, 한지 위에 분채, 46×54㎝

가을이야기, 한지 위에 분채, 61×72㎝

비상, 한지 위에 분채, 석채, 45×53cm

전통 채색화는 일필휘지로 표현되는 수묵의 방법과 대별 된다. 한지의 반수 작업부터 수십 번의
중첩은 단순히 층층이 바르는 것이 아니라 우아한 미감을 찾기 위한 수행이다.

달빛 아래서 그리워하다, 한지 위에 석채, 112×145㎝

봄바람, 한지 위에 분채, 석채, 금분, 21×45㎝

흐르는 여울 1·2, 한지 위에 분채, 석채, 금분, 32×32cm×2ea

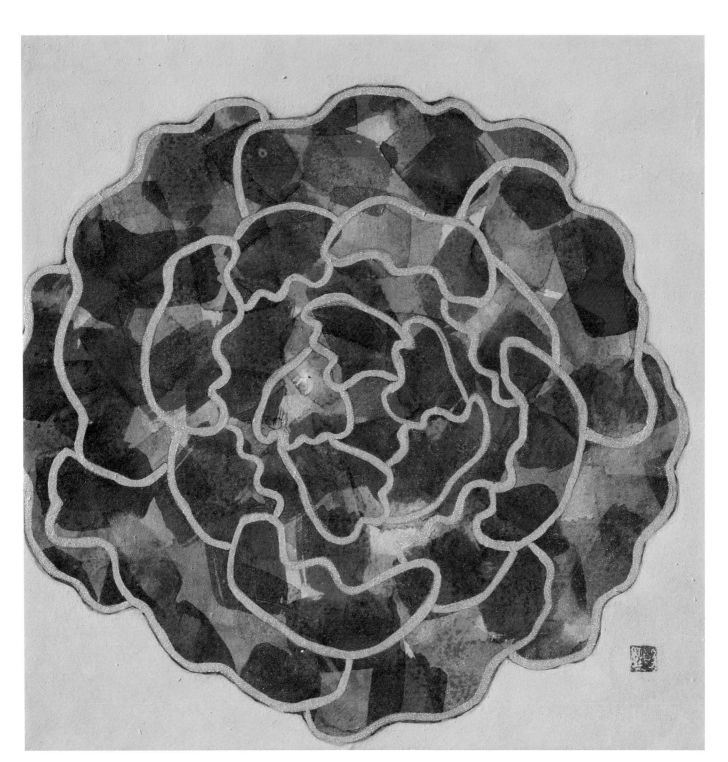

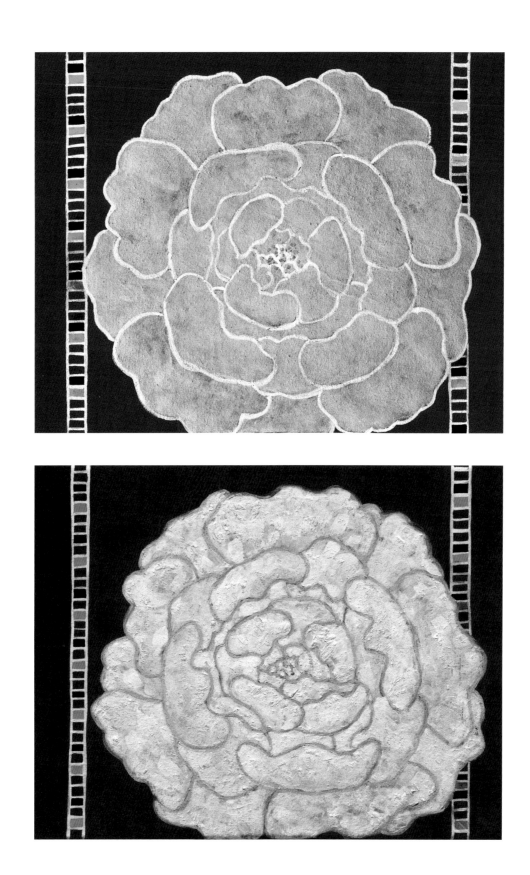

부귀영화 1·2, 한지 위에 분채, 석채, 금분, 32×40㎝×2ea

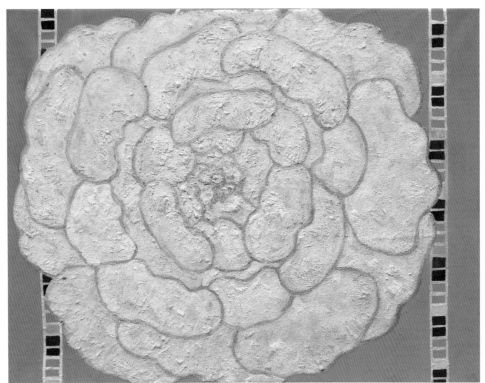

부귀영화 3·4, 한지 위에 분채, 석채, 금분, 32×40cm×2ea

기다림 1, 한지, 분채, 석채, 금분, 40×20㎝

기다림 2, 한지, 분채, 석채, 금분, 40×20㎝

매화 1, 한지 위에 분채, 석채, 금분, 은분, 100×80㎝

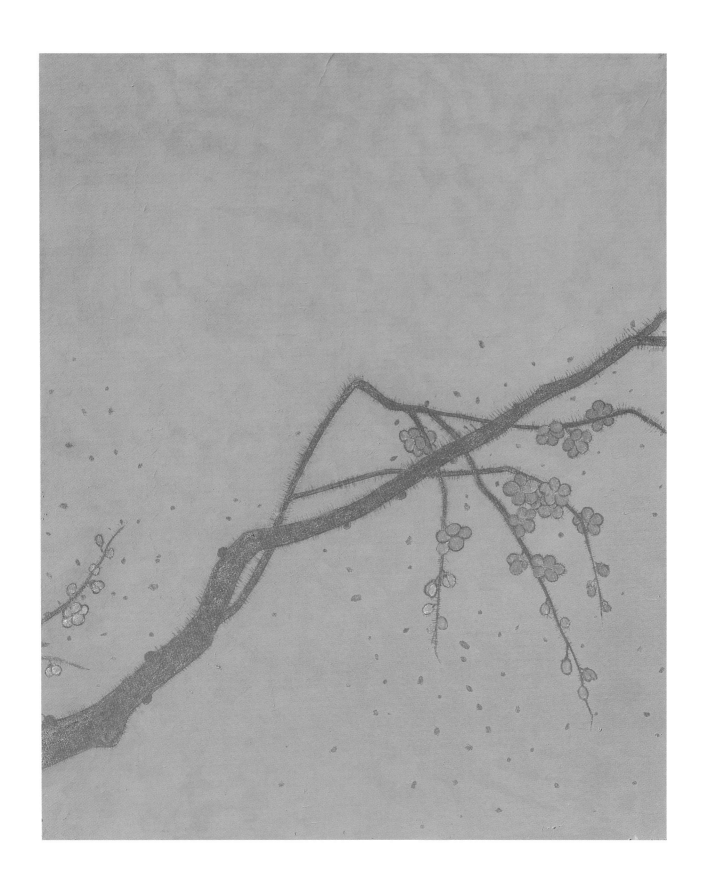

매화 2, 한지 위에 분채, 석채, 금분, 은분, 100×80㎝

매화 3, 한지 위에 분채, 석채, 금분, 100×80㎝

 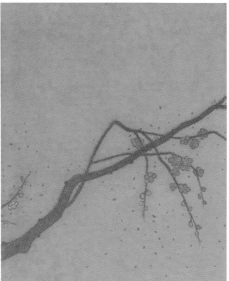 

[2018 대전시립미술관 소장]

기원 1, 한지 위에 분채, 석채, 금분, 은분, 65×50㎝

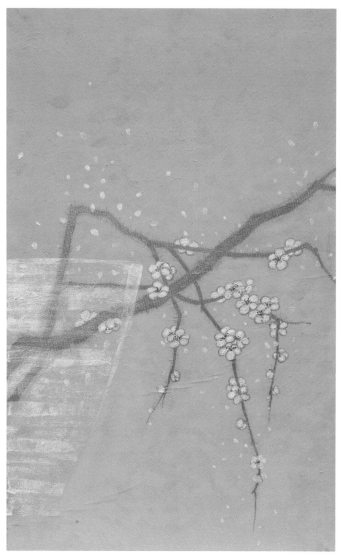

기원 2, 한지 위에 분채, 석채, 금분, 은분, 65×50㎝   기원 3, 한지 위에 분채, 석채, 금분, 은분, 65×50㎝

단순화, 다시점, 원근 개념 무시, 역원근법, 평면화 등 민화적 요소를 차용한 화면 구성 방식을 활용하여 현대적 메시지를 전달하고자 한다. 현대 채색화에서는 한국 문화에 뿌리를 둔 전통 요소와 동시대의 다양한 요소가 결합한 전통의 현대적 변용이 많이 나타난다.

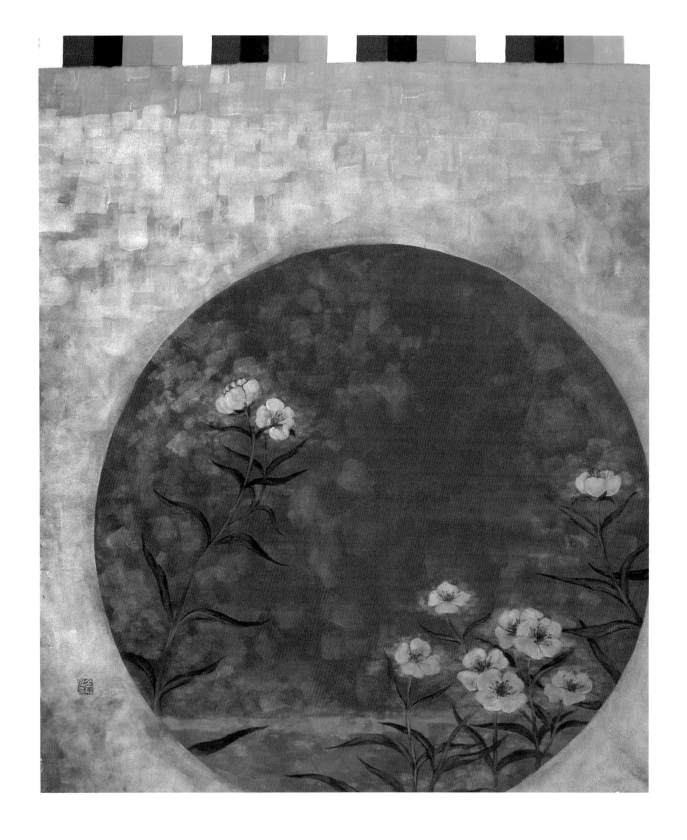

정(情)-기원 1, 한지 위에 분채, 금분, 73×61㎝

기원

전통 채색화는 본래 한 번의 획과 색, 면으로 완성되는 것이 아니라 바탕재의 반수 작업부터 수십 번의 중첩이 필요하고, 그래야만 원하는 색을 얻을 수 있다. 어쩌면 지루하면서도 고된 과정이지만 완성도의 발현을 위한 절차를 수없이 거친 끝에 태어난 인내의 산물이다. 단지 색깔을 입힌 바탕에 올린 형상이 아니라 색의 중첩으로 표현된 바탕과 형상의 상호 호환이다. 어쩌면 희노애락의 우리 삶과도 비견할 수 있다.

정(情)-기원 2, 한지 위에 분채, 금분, 61×73cm

추억, 한지 위에 석채, 31×41㎝

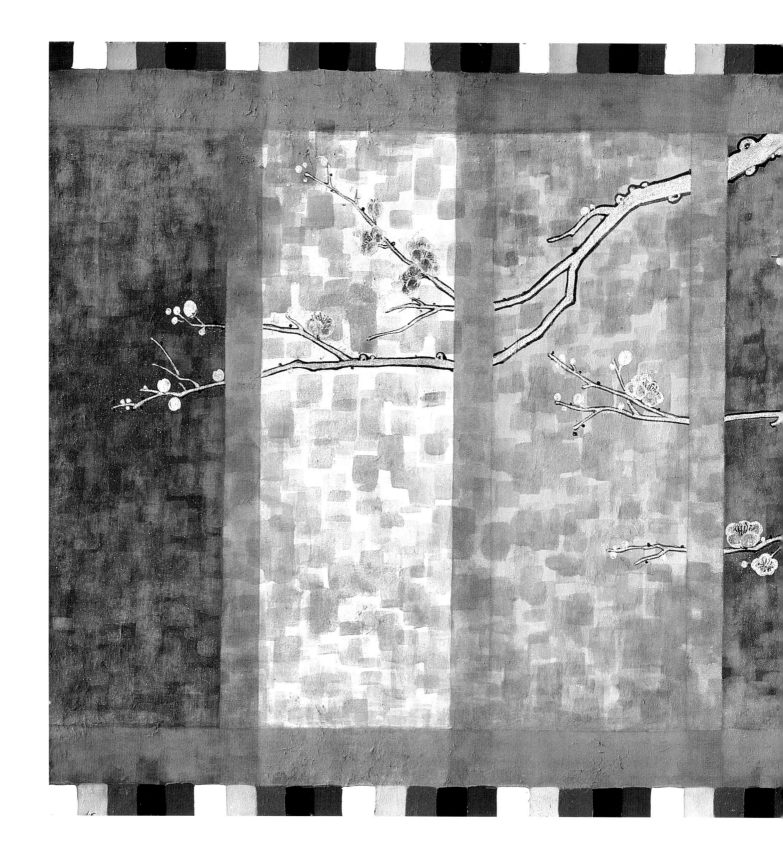

매화, 한지 위에 분채, 석채, 금분, 60×125㎝

바람을 머금다 1, 한지 위에 분채, 석채, 금분, 45.5×53㎝

KIM JIN HEE

A BLANK SPACE FILLED WITH A DREAM TO FLY

바람을 머금다 2, 한지 위에 분채, 석채, 금분, 53×45.5㎝

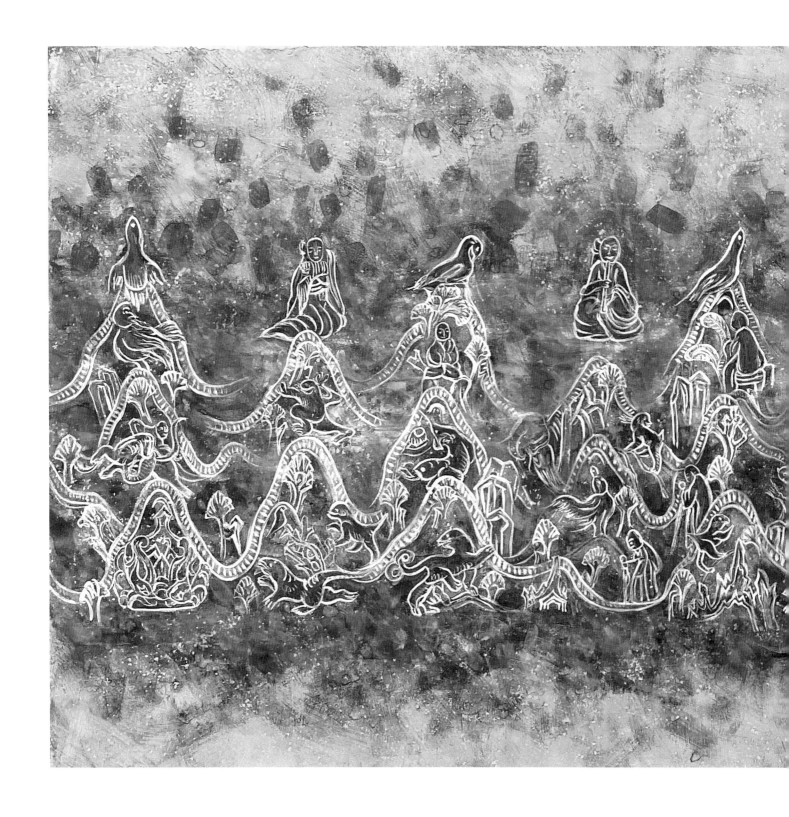

백제 금동대향로에 새겨진 이상향의 세계

바람의 은유, 장지 위에 분채, 석채, 금분, 38×83㎝

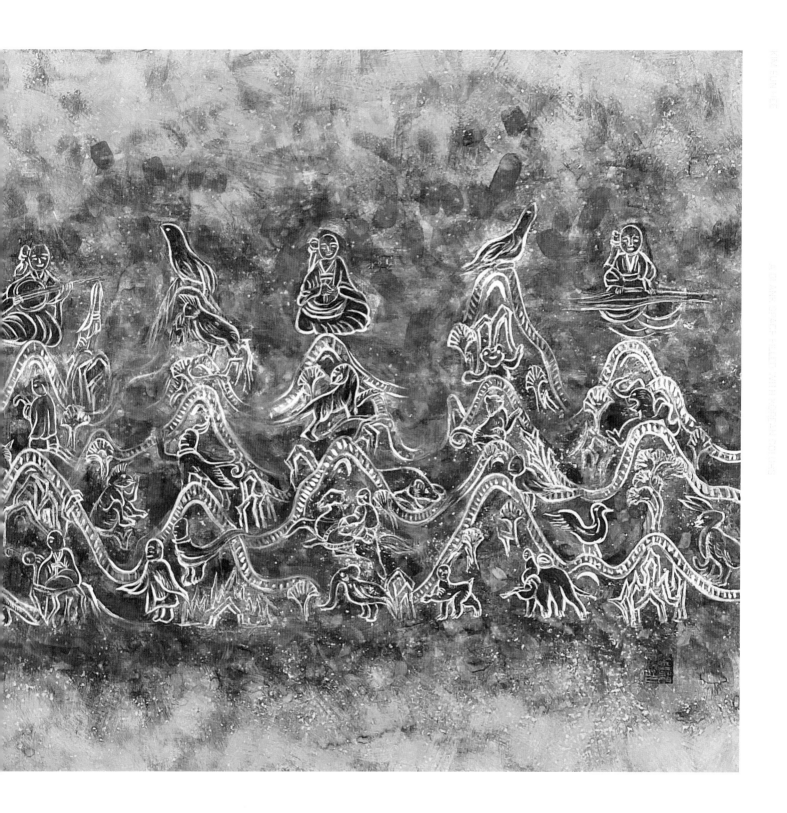

은총속에서 1, 한지 위에 분채, 석채, 은분, 38×38㎝

이처ㄴ시ㅂ사ㅁ녀ㄴ，ㅓㄴ_ㅓㄹ_ㅁ나ㄹ，ㄱㅣㅁㅇ_ㄴㅎㅣ가ㅍㅣㅇㅜ다．

은총속에서 2, 한지 위에 분채, 석채, 은분, 38×38㎝

은총속에서 3·4, 한지 위에 분채, 38×38㎝×2ea

행복한 날들 1, 한지 위에 분채, 석채, 42×30㎝

행복한 날들 2, 한지 위에 분채, 석채, 30×42㎝

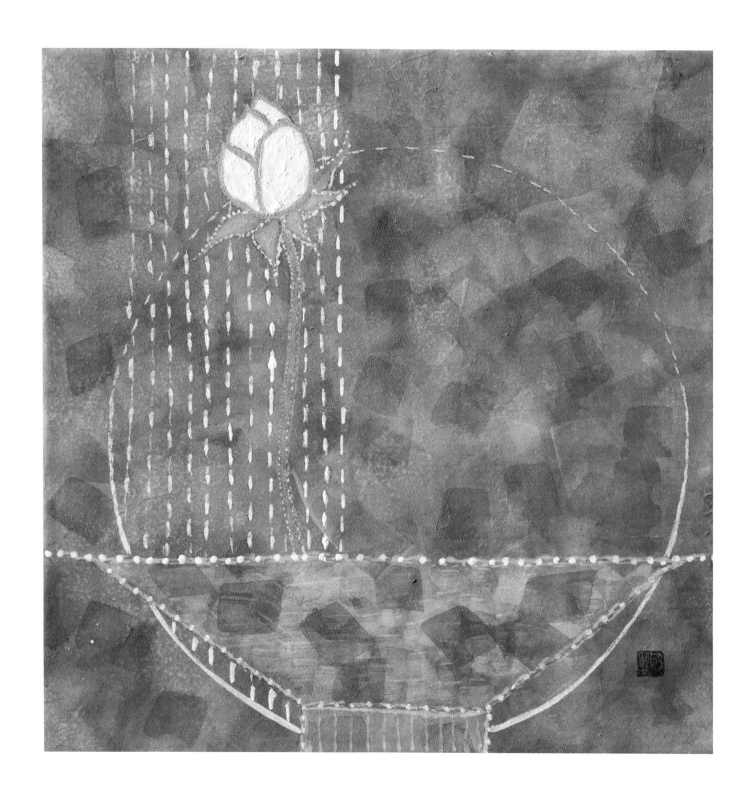

은총속에서, 한지 위에 분채, 석채, 은분, 32×32㎝

피어나다, 한지 위에 분채, 석채, 금분, 은분, 32×32㎝

행복을 담다 1·2, 한지 위에 분채, 석채, 금분, 은분, 32×32cm×2ea

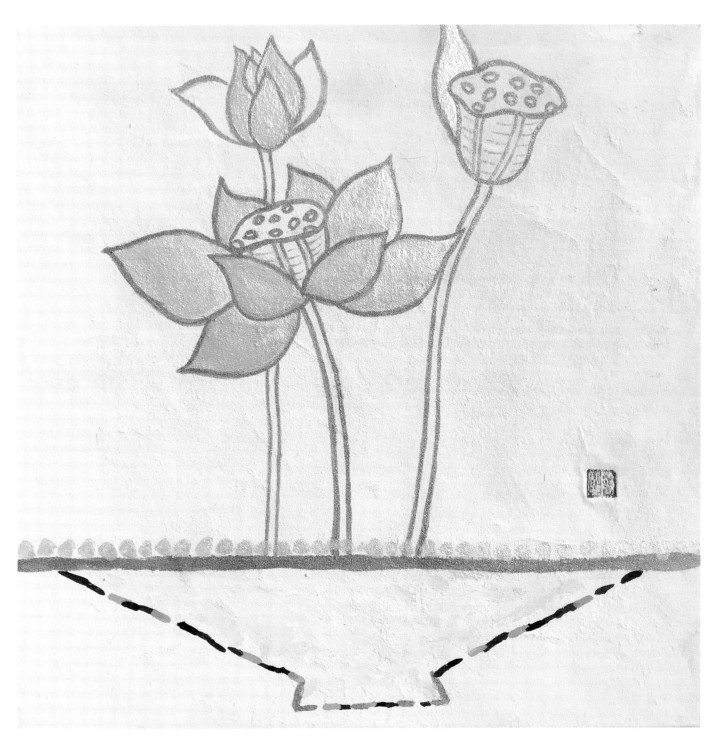

향기로 흐르다, 한지 위에 분채, 석채, 금분, 은분, 80×20㎝×4ea

피어나리 1, 광목 위에 천연염료, 석채, 금분, 46×33㎝

피어나리 2, 광목 위에 천연염료, 석채, 금분, 41×28㎝

환희, 한지 위에 분채, 석채, 금분, 25×34㎝

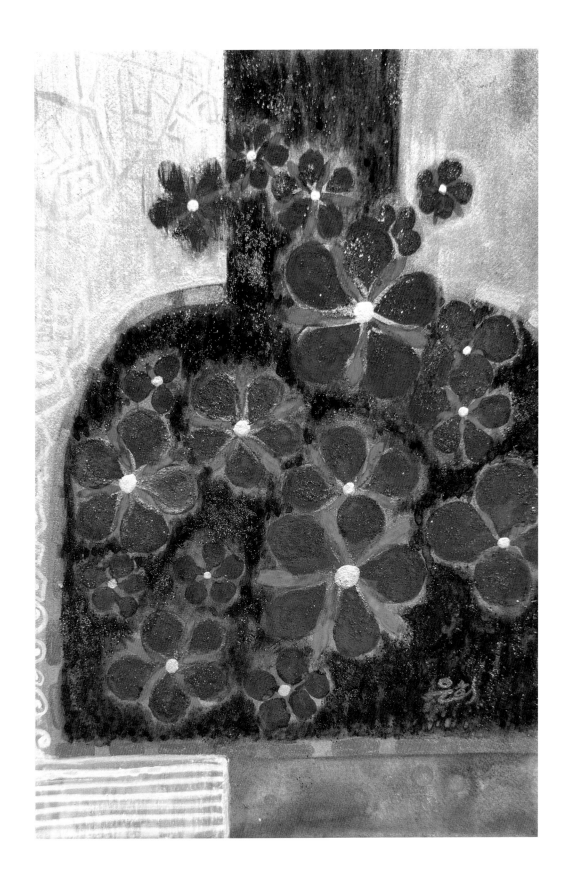

행복담기, 한지 위에 석채, 금분, 23×16㎝

Fiesta 1·2, 한지 위에 석채, 금분, 금박, 45×53㎝×2ea

단상, 광목 위에 천연염료, 석채, 금분, 34×24㎝

만추의 어느 날, 한지 위에 분채, 석채, 금분, 38×38㎝

부귀, 한지 위에 석채, 20×25㎝

행복한 날, 한지 위에 분채, 석채, 45×53cm

달맞이, 한지 위에 분채, 46×53㎝

어느 여름 밤, 달 빛을 담은 달맞이 꽃이 나를 반겼다.

달맞이 꽃, 한지 위에 분채, 60×72㎝

또 다른 세계로 1·2, 한지 위에 수간채색, 38×38㎝×2ea

그리움 1, 한지 위에 분채, 금분, 46×53㎝

함께라면, 한지 위에한지 위에 분채, 72×60㎝

그리움 2, 한지 위에 석채, 38×38㎝

어디로 갈까?, 한지 위에 분채, 45×53㎝

따스한 오후, 한지 위에 분채, 100×80㎝

맨드라미, 한지 위에 석채, 금분, 23×16㎝

기도 1·2, 한지 위에 석채, 금분, 은분, 23×16㎝×2ea

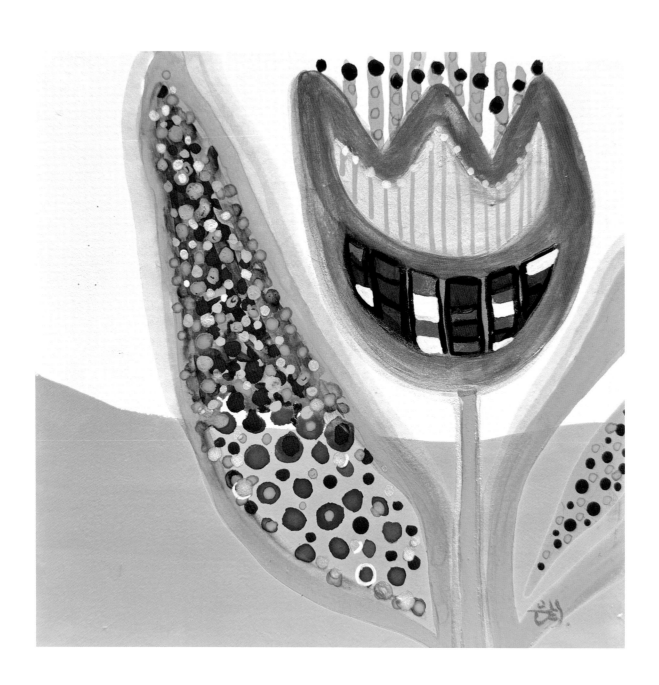

천진한 미소, 한지 위에 석채, 16×16cm

꿈꾸는 날개짓, 한지 위에 석채, 금분, 16×16㎝

무제 1·2, 한지 위에 색박, 23×16cm×2ea

간절한 기다림 1·2, 한지 위에 석채, 금분, 43×20㎝×2ea

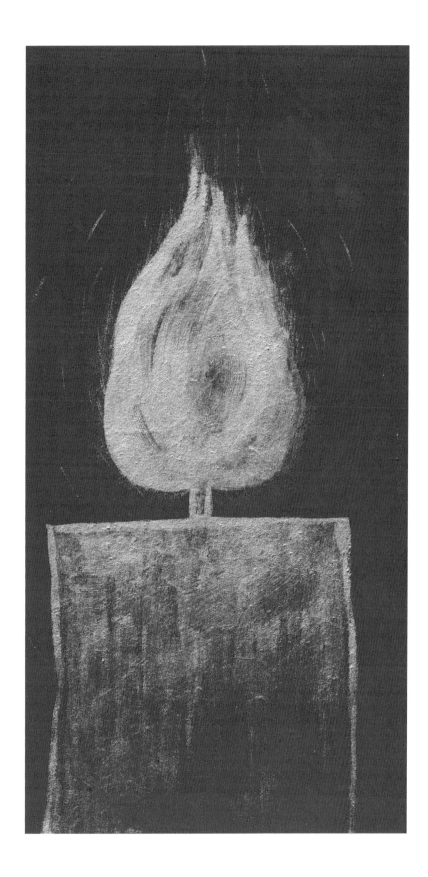

한지 위에 석채, 금분, 91×65㎝

희망의 나라로, 한지 위에 석채, 41×53㎝

오방색이 전통색으로 맥을 이어온 것은 자연과 인간, 인간과 인간관계의 연계성을
내포하고 있기 때문일 것이다.

존재로부터의 생성 1, 한지 위에 석채, 금분, 금박, 38×38㎝

존재로부터의 생성 2, 한지 위에 석채, 금분, 은분, 은박, 38×38㎝

존재로부터의 생성 3, 한지 위에 석채, 금분, 38×38㎝

기다림, 한지 위에 분채, 80×100㎝

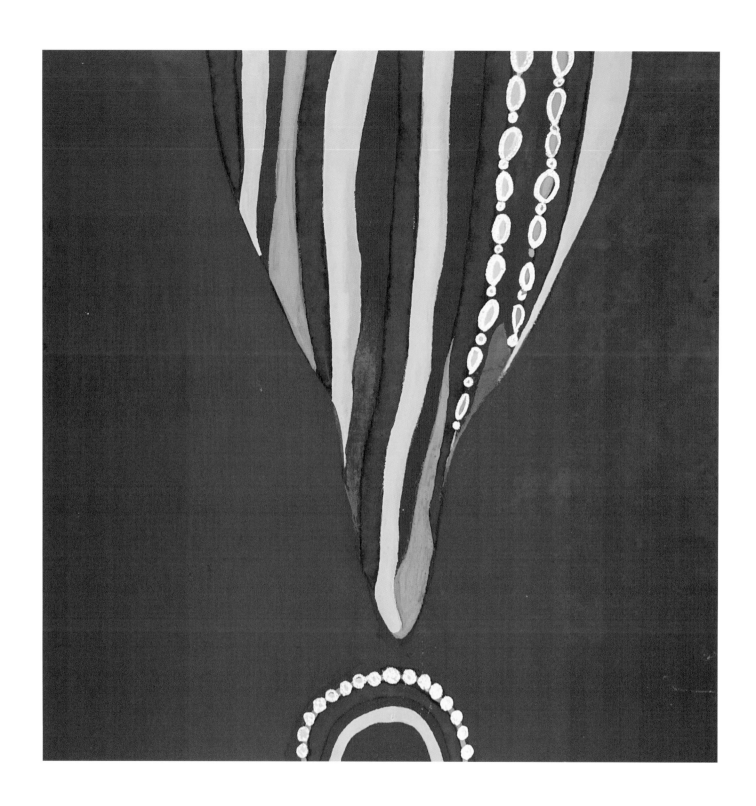

느낌표, 광목 위에 석채, 26×18㎝

한가로움, 한지 위에 분채, 97×130㎝

무주계곡, 한지 위에 분채, 61×73㎝

여심 1, 한지 위에 분채, 금분, 130×162cm

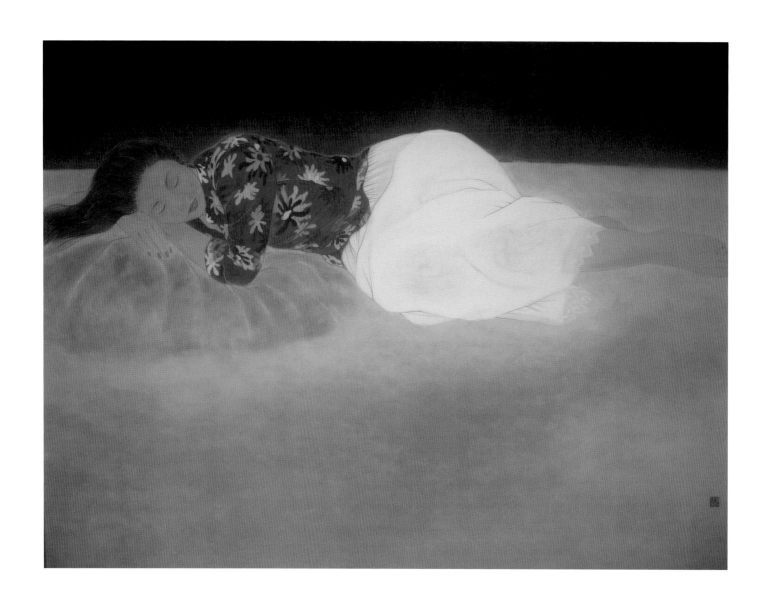

여심 2, 한지 위에 분채, 130×162㎝

여심 3, 한지 위에 분채, 130×163㎝

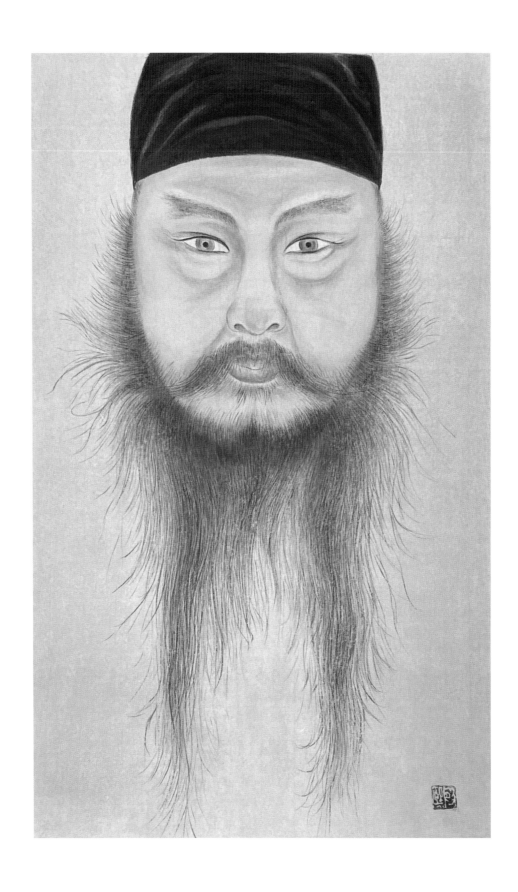

방작-윤두서자화상, 한지 위에 분채, 석채, 45×28㎝

방작-보조국사 지눌(知訥), 한지 위에 분채, 석채, 45×38㎝

한 편의 편안한 詩

나의 작업은 지금의 현상이 과거와 미래의 관계 연속성임을 인지하고, 전통적인 채색화의 기법과 양식으로 표현하는 것이다. 보는 이 들이 차 한 잔과 함께 여유로이 즐길수 있는 한편의 편안한 시와 같은 작업을 하고 싶다.

방작-부용도, 견본착색, 금박, 28×28㎝

평화를 빕니다, 장지 위에 석채, 분채, 순금분, 190×160㎝

행복을 위한 염원

성모가 발현한 모습의 이미지를 채색화로 재현하였다. 성모를 직접 목격한 수비루의 증언을 토대로 하면 '치유의 성모'는 흰옷에 푸른 허리띠를 맨 채 오른팔에 묵주를 늘어뜨리고 양손을 모으고 있으며, 양 발등에 노란색 장미가 얹어있는 모습이다.

김은희 작가는 이러한 신비한 성모의 모습을 한국의 전통채색화 기법으로 표현하였다.

세상에서 가장 순수하고 가장 유연한 물처럼,
세상에서 가장 순수하고 가장 유연했던
당신의 그날을 찾길 바라며 :

'모든 것을 끈 채 나를 켜다'

일상, 한지 위에 분채, 석채, 80×100㎝

물(단상), 한지 위에 분채, 석채, 80×200㎝

김은희 작가는 '감각과 질료'로 명명한 '단상-2023' 전시에서 기존 채색화의 연장선에 놓인 작품과 더불어 평면회화를 동적인 매체에 이식했다. 표현의 방식을 새롭게 구축한 영상 작품 <물>(2023)과 <연>(2023)이 그것이다.

이 작품들은 회화와 영상의 교류 혹은 소통은 매우 의미 있는 과정으로, 형식적으론 전통적인 미술 장르가 누려온 고정적인 방법론을 우회하는 양태이자 미술, 나아가 표현예술이란 무엇인가라는 보다 본질적인 질문으로 대체되는 상황을 유발한다. 또한 그동안 무한증식과 자가 분열을 거쳐 당대에 이르게 된 2차원적 평면에 어떤 형상이나 이미지를 담아온 오랜 시각예술 중 하나인 회화는 이제 그의 작업에서 확대와 확장으로 나아가고 있음을 알 수 있도록 한다.

둘이서 1, 한지 위에 분채, 석채, 25×35㎝

둘이서 2, 한지 위에 분채, 석채, 25×35cm

영상 전시장 풍경

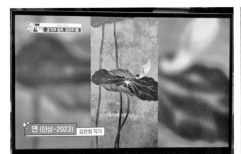

연 (단상-2023) 김은희 작가

감각이라고 하는 것은 내가 표현하는 것들인대

02
글·논고

ARTICLE
& ESSAY

간절함을 담은 우리 문양

한 나라의 문화는 國格의 상징이다. 우리나라는 지정학적 위치상 주변 국가들로부터 수많은 외침을 받아왔다. 그 과정에서 타문화의 유입은 물론이고 자문화의 유출도 자연스럽게 이뤄졌다. 이러한 내용을 문헌으로만 밝히기에는 한계가 있다. 유물이나 유적 등 유형적 요소가 뒷받침될 때 비로소 당시 문화에 대한 온전한 이해가 가능하게 된다. 그런 의미에서 50년 전인 1971년 7월 5일 훼손되지 않은 채 발견된 무령왕릉의 발굴은 우리의 고대 백제 시대를 이해하는데 좋은 예라 할 수 있다. 발굴된 4,600여 점의 유물은 백제는 물론이고 우리 역사 전반에 대한 새로운 시각을 심어주기 충분한 양과 학술적 가치를 함축하고 있다. 무령왕릉의 출토유물은 백제의 귀걸이·목걸이·팔찌·관식 등 다양한 장신구에 나타난 문양의 조형성과 복식 관련 문헌 기록 등을 보충해 주는 역할을 함과 동시에 백제문화의 다양성을 드러내고 있다. 특히, 왕과 왕비의 頭枕과 足座는 고대 백제인들의 죽은 이의 환생을 염원하는 사후 관념을 확인하는 데 좋은 자료가 되고 있다. 특히 왕비의 두침에는 다양한 문양과 장식이 화려하게 치장되어 있어서 이 분야 연구자들에게 좋은 자료를 제공해 주고 있다.

<표1> 무령왕비 두침과 족좌 디지털 복원 결과, 김은희 作

구분	전	후	측
두침			
족좌			

文樣[1]은 미적 감각을 불러일으키기 위해 점이나 선, 색채를 도형과 같이 형상화한 것이다. 문양은 때로는 언어나 문자로서의 역할도 하고, 인류가 전승하며 이루어 놓은 회화·조각·공예 등 조형미술의 원천

---

1 조형미술에서 말하는 문양은 미적 표현의 3요소인 形體(form)와 色調(color combinations), 文樣(pattern) 가운데 하나로, 문양은 시각적 대상으로서, 미적 추구심이 가장 뚜렷하게 반영된 것이다. (『한국고고학사전』「문양」)

이 되기도 한다. 인류 문명의 발달에서 획기적인 일은 질그릇의 발명과 더불어 그 그릇 표면에 문양을 새겨놓아 상징성을 부여하게 됨으로써 裝飾美에 눈뜨는 계기가 된 것이다.

한국의 문양은 삼국 시대 이래 대체로 불교적 요소가 많지만, 더불어 유교·도교적인 요소도 포용하고 있다. 곧 전통 미술 속 문양은 多福·長壽·出世 및 자손 번영의 多男·多孫을 상징하는 소재가 많이 나타나 있다. 이러한 문양 요소는 선사 시대부터 믿어왔던 天命觀 속에서 八卦와 太極·日月像 등의 상징적 도상을 나타내어 吉利를 추구하는 것이었다. 또 불교적인 길상무늬인 七寶·八寶의 문양은 如意·吉祥·長壽를 뜻하는 것으로, 이는 도가에서도 八仙의 상징물로 나타난다. 이러한 문양은 식물무늬 계열·동물무늬 계열, 그리고 추상무늬 계열로 구분된다.

삼국 시대 벽화로부터 정교한 화려함과 함께 뛰어난 회화력을 지닌 고려 시대의 불화·조선 시대 궁중화나 민화로 맥이 내려온 채색화 방식은 최근 성행하고 있는 민화에서도 전통적으로 공유 해 온 길상적 도상과 개개인의 꿈과 바람을 투영하여 표현되고 있다.

<표2>, 한 채색 연구소 회원 作

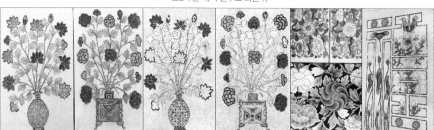

그림을 시각에 의한 감상이라기보다 내포된 상징성과 의미를 파악하여 읽어내는 감상법을 가진 우리 그림은 작가들에 의해 문양을 통한 함축의 언어로 다채롭게 표현되고 있다. 무령왕릉 유물에서 알 수 있듯 우리는 오래전부터 다양한 문양을 통해 죽은 이에 대한 환생의 염원과, 현시대의 각기 어려움을 극복하는 치유의 수단으로 다양한 문양을 통한 은유적 표현 방식을 이용하여 간절함을 담아낸다.

<표3>, 한 채색 연구소 회원 作

한 채색 연구소는 우리 전통의 바탕 위에 자유로운 상상의 세계와 각자의 심상을 투영한 창작으로 동시대를 사는 이들의 간절한 바람에 위안이 되기를 소망한다.

무령왕릉,
다시 만난 세계.. 그 후 50년!

지구상 존재하는 모든 나라에는 고유한 특성을 지닌 문화를 가지고 있다. 필자는 여러 경로를 통해 타 고대문화와 귀족 문화를 접하면서 적잖은 부러움을 가졌고, 분명 우리의 역사 속에서도 존재했을 화려하고 고귀한 고대문화에 대한 관심으로 이어졌다. 한국 고대 삼국 중 백제는 중국과 일본 등과의 교역을 통해 가장 활발한 문화 활동을 영위했다. 특히 武寧王- 聖王- 威德王代의 6세기 백제는 일본 문화 형성에 지대한 영향을 미치기도 할 만큼 문화 융성의 시기였다고 해도 과언이 아니다. 그 정점을 보여주는 것이 바로 1971년 7월 훼손되지 않은 채 발견된 武寧王陵의 발굴이라 하겠다. 무령왕릉은 2021년 현재로 발굴 50주년을 맞았다. 1963년 1월 사적으로 지정된 '공주 송산리 고분군'은 1927년과 1932~1933년에 걸쳐 금제 장식(金製裝飾), 백제토기, 은제 허리띠 장식, 목관 부속구 등 다양한 유물이 확인되었고 1971년 누수방지공사 중 무령왕릉의 지석(誌石)과 금제 관 꾸미개 등을 포함하여 4,687점의 유물이 쏟아져 이중 12건 17점이 국보로 지정된 곳이다. 발굴된 4,600여 점의 유물은 백제는 물론이고 우리 역사 전반에 대한 새로운 시각을 심어주기 충분한 양과 학술적 가치를 함축하고 있다. 그중, 왕과 왕비의 頭枕과 足座는 고대 백제인들의 사후 관념을 확인하는 좋은 자료가 되고 있다. 특히 왕비의 두침에는 다양한 문양과 장식이 화려하게 치장되어 있어서 자료가 많지 않은 백제 회화 분야 연구에 좋은 자료를 제공해 주고 있다.

백제 회화의 특징

백제의 회화는 남아 전하는 양이 적다.『日本書紀』에 백제계 화가로 알려져 있는 因斯羅我의 渡日이 463년으로 기록되었으나[1] 그 회화 경향은 전하지 않는다. 회화 경향을 짐작할 수 있는 중국 남조 梁에서의 畫師 입국, 화가 白加와 阿佐太子의 도일은 모두 6세기에 이루어졌다.[2] 따라서 아직까지는 현재 전하는 자료로만 가지고는 한성시대 백제회화가 어떤 특성을 지니고 있었는지 알기 어렵다.

지금까지 남아 전하는 백제의 회화로는 공주 송산리 6호분 및 부여 능산리 벽화고분의 일부 벽화, 무령왕릉 출토 왕비 두침과 족좌의 장식 그림 및 부소산 사지 출토 벽화 편이 있다. 회화에 준하는 작품으로 1971년 무령왕릉의 왕비의 머리맡에서 출토된 銅托銀盞의 선 새김 그림 및 부여 外里 절터에서 출토된 山水鳳凰文塼과 山水山景文塼에 표현된 그림을 들 수 있다. 이들 작품의 제작 시기는 6세기 초에서 7세기 초에 이르는 기간이다.

---

1 『日本書紀』, 雄略記 七年(463) 癸卯.

2 "累遣使獻方物 幷請涅槃等經義 毛詩博士幷工匠畫師等 勅幷給之.",『梁書』卷54,「列傳·諸夷」'百濟' 中大通 6년(534) 및 大同 7년(541),『日本書紀』崇峻記 元年(588) 戊申 및 推古記 5년(597) 丁巳.

<그림1> 무령왕릉 출토 銅托銀盞

<그림2> 동탁은잔 뚜껑 연화문

출처: 국립공주박물관, 「武寧王陵 新報告書」V, 국립공주박물관, 2019, pp.130-131

<그림3>, 山水鳳凰文塼

<그림4> 山水山景文塼

출처: 국립부여박물관

<그림2> 동탁은잔의 뚜껑 중앙에는 연꽃이 2중으로 장식되어 있고, 뚜껑의 둘레에는 산악도가 장식되어 있다. 산악도 위에는 두 마리의 봉황이 날고 있는 모습이 표현되어 있다. 은잔의 윗부분에는 흐르는 구름무늬(流雲紋)가 장식되어 있으며, 그 아래에는 세 마리의 용이 연꽃을 둘러싸고 있는 모습이 장식되어 있다. 이러한 그림은 불교 혹은 도교적인 세계관을 보여주는 것이다.[3] 은잔 뚜껑 밑둘레에 그려진 三山形의 산능선에는 나무를, 산 사이의 계곡에는 瑞鳥를 선새김 하였다.

도식성이 엿보이나 좌우대칭을 이루며 반복되는 짧은 고사리꼴 무늬로 산주름을 나타내고 있으며, 서투르나마 두세 가지 형태로 나무를 묘사하는 등 선 새김 그림이 지니는 표현상의 제약에도 불구하고 산수 표현의 기본 요소를 놓치지 않고 있는 점이 눈에 띈다.

<그림3>의 산수봉황문전 산악도 위에는 날개를 편 봉황이 장식되어 있고, 주변에 구름문이 장식되어 있다. 그 아래로 산악이 장식되어 있는 단순한 구조이다. 이러한 형태는 산수산경문전(<그림4>)에서도 그대로 나타나고 있다.

---

3 유사한 형태의 은잔이 나주 복암리 1호분과 고창 봉덕리 1호분 4호실 석실에서 발견된 바 있다. 또한 대구 달성 55호분에서도 유사한 형태가 발견되었다.

7세기 초의 산수문전에 이르러 산수 표현은 은잔 뚜껑 그림의 수준에서 한 단계 높아진다. 삼산이 지니는 상징성으로 말미암아 산은 여전히 삼산형으로 그려지나, 안정된 좌우대칭 구도 속에 조금씩 거리를 두면서 삼산형 土山들을 배치하고 화면의 좌우와 근경 및 토산들 사이의 중경 일부에 巖山을 표현함으로써 산 사이에 공간감과 거리감이 느껴지게 하였다. 산봉우리에 솟은 잎이 무성한 나무들과 산 사이의 크기 비례를 적절히 하여 산다운 분위기를 자아내는 등 6세기 초와는 다른 산수 표현 수준을 보여준다. 이것이 匠人에 의한 塼 무늬임을 고려하면 이 시기 백제 화가의 산수화는 상당히 높은 수준에 이르렀음을 짐작할 수 있다.

웅진·사비시대에 만들어진 벽돌무덤과 돌방무덤 가운데 현재까지 발견된 벽화무덤은 2기에 불과하다. 이로 보아 백제에서는 무덤 안에 그림을 그리는 것이 예외적인 행사였으며, 송산리 6호분에 사신이 그려진 것은 웅진시대의 백제 지배층이 중국식 벽돌무덤을 받아들이면서 당시 南北朝 및 고구려에서 크게 유행하던 四神에 의한 死者 보호 관념을 수용했기 때문이었을 가능성이 높다. 널방 벽에 사신을 그리는 풍습도 사비시대 초기를 고비로 무덤자리를 四勢(四神의 형상을 갖춘 地勢)에 맞게 택하는 '相地相墓術'에 흡수된 듯하다. 공주 송산리 6호분과 같은 벽화 구성 방식을 계승한 벽화고분은 부여 능산리 벽화고분 외에 더 이상 발견되지 않고 있다.

무령왕비 두침(목베개)에 나타난 문양

무령왕릉 목관 안에서 발견된 왕과 왕비의 머리를 받치기 위한 장의용 나무 베개인 왕의 두침에 대한 최초 발굴 보고서의 내용을 인용해 보면 다음과 같다.

> 거의 부식되어 없어지고 두 토막이 남아 있을 뿐인데 좀 큰 토막이 남쪽에 있고 작은 토막은 떨어져서 그 북쪽에 굴러 있었다. 처음 현실에 들어 갔을 때 棺材 밑에서 삐져 나온 이 두침 金花 장식을 보고 金花節冠帽라고 생각하였다. (하략)[4]

이와 같이 발견 당시에는 거의 腐蝕 된 상태여서 크고 작은 토막 두 개만 수습되었다. 남은 토막으로 추정한 바로는 두께 11cm의 굵은 나무토막에 U자형으로 머리 얹을 부분을 파냈으며, 위에는 6cm 위치에서 경미한 턱을 만들어 2단으로 곡선을 이룬 형태였다[5]

무령왕의 두침은 대부분 썩어 없어지고 일부 파편과 두침에 사용되었던 금장식품들만 남아 있었다. 두침 표면에는 검은 옻칠을 두껍게 하고 왕의 족좌에 장식되어 있는 것과 마찬가지로 금판으로 龜甲文을 연속적으로 만들어 붙였다.

귀갑문의 結節點과 그 안에는 금제 영락이 달린 연꽃 모양의 장식을 부착하여 화려하게 장식하였다 (<그림5>).

4 문화공보부 문화재관리국, 「武寧王陵 發掘調査報告書」, 문화공보부 문화재관리국, 1974, p.44
5 전호태, 「무령왕릉 출토유물에 보이는 도안」, 「武寧王陵과 東亞細亞文化」, 국립부여문화재연구소·국립공주박물관, 2001, p.195

<그림5>무령왕 두침 복제품   <그림6>무령왕비 두침 복제품

소장: 국립공주박물관

왕비의 두침은 잘 다듬은 나무토막의 윗부분을 'U'자형으로 파낸 다음 붉은 칠을 하고 가장자리를 따라 금박으로 테두리 선을 돌린 다음 그 안에 같은 금박으로 육각형의 귀갑문을 연속적으로 표현하였다(<그림7>).

귀갑문 안에는 흰색·붉은색·검은색의 안료로 飛天·瑞鳥·魚龍·연꽃 6, 忍冬· 네잎꽃 등의 그림을 그렸다. 귀갑 안의 주 문양 주변 네 모퉁이에는 雲文처럼 보이는 'C'자형의 간단한 그림이 있다. 이러한 문양은 6세기 중국 남조 불교예술과 맥이 닿는 표현들이다.[7] 이를 통해 남조의 梁나라에서 개화한 불교문화가 구체적으로 백제에 전해졌음을 시사한다[8]

<그림7> 연꽃무늬와 어룡무늬

출처: 국립문화재연구소

비천상은 연꽃 또는 구름 위에 앉아 天衣를 휘날리며 내려오는 모습을 표현하였는데, 비천은 불교와 깊은 인연이 있어 중국에서는 이미 5세기 무렵부터 불상 광배에 나타나고 있다. 비천의 모습이 통일 신라 시대의 범종에서 많이 보이는 供養飛天 또는 奏樂飛天과 유사하다. 요시무라 레이(吉村怜)는 이 비천의 탄생 과정을 아래와 같은 순서로 제시하기도 하였다.

6   귀갑 안의 연꽃들은 8엽 혹은 12엽 홑꽃잎형으로 꽃잎 안에 백제 와당에서 흔히 발견되는 백제식 물방울꼴 꽃술을 지녔다. 전호태, 앞의 논문, p.196.

7   吉村怜, 「南朝天人圖像の北朝及周邊諸國傳播」, 『佛教藝術』 159, 佛教藝術學會, 1985, pp.11-29.

8   鎌田茂雄 저, 鄭舜日 역, 『中國佛教史』, 經書院, 1985, pp.90-92: 전호태, 「백제와 가야의 고분벽화」, 『남한의 고분벽화』, 국립문화재연구소, 2019, p.213

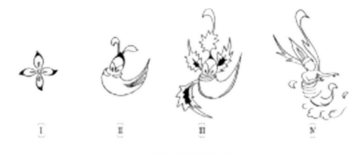

<그림8> 비천의 탄생 과정

출처: 吉村怜, 「中國佛敎圖像の硏究」, 東京: 東方書店, 1983, 揷圖111.

이는 연화화생을 통한 천인 탄생의 과정과 상통한다. [9]

서조도는 날개를 활짝 펴고 나는 朱雀 혹은 鳳凰과 같은 서조의 모습으로 고구려 고분벽화나 경주 천마총의 彩畵板, 무령왕릉 환두대도·무령왕비 동탁은잔의 뚜껑에도 보인다. 어룡도는 머리는 용·몸체와 꼬리는 물고기인 龍頭魚尾의 상서로운 짐승 표현이다. 연화도는 가장 많은 비중을 차지하고 있는 것으로 모두 활짝 핀 형상이며 위와 측면에서 본 두 가지 모습이 묘사되어 있다. 꽃잎에는 잎맥이 표현되지 않았다. 인동문은 단독으로 그린 것은 없고 모두 연화문과 복합되고, 가운데의 꽃잎이 길게 뻗어 있는 것과 꽃잎을 세로로 반절한 형태로 그린 것이 주목된다. 이러한 형식은 모두 무령왕비의 관식을 형성하는 단위 문양에서도 볼 수 있다. 네잎꽃은 네 개의 꽃잎만을 표현한 것으로 자방이 작고 꽃잎이 네 잎인 점이 다를 뿐 꽃잎의 윤곽·꽃잎 내의 세로 선·'V'자형 꽃술의 표현 등은 연꽃잎을 염두에 두고 그린 것으로 보인다. 귀갑문 안의 그림은 주로 완형 귀갑문에 그렸는데 상단 좌우에는 연화와 인동을 배합한 그림이 있고, 하단의 좌측부에는 飛天·蓮花忍冬·瑞鳥文, 우측부에는 忍冬·魚龍·蓮花의 순으로 바깥쪽부터 배치되어 있다. 상단 열에는 그림이 없고 하단 열에는 네잎꽃과 유사 어룡문이 귀갑 상단에 치우쳐 교대로 그려져 있다. 이러한 배열은 질서가 잡혀 있어 아무렇게나 배치한 것이 아님을 느끼게 한다. 두침 좌우의 윗부분에는 나무로 조각하여 만든 鳳凰[10]을 서로 마주 보게 붙여서 격조를 더하였다. 이처럼 왕비의 두침은 불교 색이 짙은 각종 그림들과 봉황과 같은 상서로운 새를 그려 왕비의 극락왕생을 기원하는 뜻이 담겨 있다.

무령왕릉 출토 왕비의 頭枕에는 서조·비천·어룡·인동 연꽃 등이 묘사로, 비록 朱漆金箔龜甲文 안에 細筆로 조그맣게 그려진 장식 그림이나 간결하면서도 세련된 필치가 눈길을 끈다.

바람에 나부끼는 듯한 수염털 연봉오리와 인동연꽃, 연꽃화생에 의해 출연한 듯 모습이 완전치 않은 서조·비천·어룡은 6세기 동아시아 회화에서 공통적으로 발견되는 존재이자 표현기법이다. 그러나 인동잎의 끝이 날카롭게 뻗치지 않고, 飛天의 天衣 자락이 부드럽고 여유 있게 휘날리며, 서조와 어룡이 하늘을 遊泳하는 듯한, 느낌이 들게 하는 것은 백제적 세련된 필선이라 할 수 있다.

9 吉村怜, 「百濟武寧王妃木枕に畵かれた佛敎圖像について」, 「美術史硏究」 14, 1977, pp.34-42.

10. 사재동은 이 유물을 「관무량수경」에 언급된 鸞鳥으로 해석하였다. 사재동, 「무령왕릉문물의 서사적 구조」, 「백제연구」 12, 충남대학교 백제연구소, 1981, p.42.

<그림9>, 무령왕비 두침 정면
출처: 김은희作 고색 추정 디지털 복원

무령왕릉, 다시 만난 세계.. 그 후 50년

2015년 7월 백제유적 8곳이 유네스코 세계유산에 등재되었다. 공주의 공산성과 송산리 고분군을 포함한 부여 사비성(泗沘城)과 관련된 관북리 유적(官北里遺蹟, 관북리 왕궁지) 및 부소산성(扶蘇山城), 정림사지(定林寺址), 능산리 고분군(陵山里古墳群), 부여 나성(扶餘羅城), 끝으로 사비시대 백제의 두 번째 수도였던 익산시 지역의 왕궁리 유적(王宮里 遺蹟), 미륵사지(彌勒寺址) 등으로, 백제역사유적지구는 공주시, 부여군, 익산시 3개 지역에 분포된 8개 고고학 유적지로 475년~660년 사이의 백제 왕국의 역사를 보여주고 있다. 국제교류를 기초로 백제의 독창적인 문화를 이룩하여, 고대 동아시아 문화번영에 기여한 점이 높이 평가된 것이다.

또한, 문화재청은 사적 '공주 송산리 고분군(公州 宋山里 古墳群)'을, '공주 무령왕릉과 왕릉원(公州 武寧王陵과 王陵園)'으로, 사적 '부여 능산리 고분군(扶餘 陵山里 古墳群)'은 '부여 왕릉원(扶餘 王陵園)'으로 명칭 변경을 예고한 상태이다.

무령왕릉은 고대 왕릉 중 무덤의 주인을 확인할 수 있는 유일한 무덤이고 송산리 고분군이 백제왕릉임을 명확히 하는 중요한 유적인 것을 고려해 널리 알려진 '무령왕릉'이 포함된 이름으로 사적 명칭을 변경하기로 하였다. 올해는 '무령왕릉 발굴 50주년'이기도 하여 국민이 쉽게 인식하고 공주 송산리 고분군의 역사·문화재적 위상을 높일 것으로 본다.

1963년 1월 사적으로 지정된 '부여 능산리 고분군'은 무덤들 서쪽에서 발굴된 절터에서 백제 금동대향로(국보, 1996.5.지정)와 부여 능산리사지 석조사리감(국보, 1996.5. 지정)이 출토되어 능산리 무덤들이 왕실 무덤이라는 것이 확인된 곳으로, '부여 왕릉원(扶餘 王陵園)'으로의 명칭 변경은 피장자들이 왕과 왕족으로서 왕릉급 고분군임을 분명히 알려 인근의 '능안골 고분군', '염창리 고분군'들과 차별성을 두고 부여 능산리 고분군만의 특성과 역사성을 반영하고자 한 취지라 한다.

50년 전, 오랜 세월 침묵을 깨고 환생한 무령왕릉 유물은 '다시 만난 세계'에서 「儉而不陋 華而不侈」 검소하지만 누추하지 않고 화려하지만 사치스럽지 않은 백제 정신과 法古創新으로 정체성을 이어가기를 바랄 것이다.

오방색(五方色),
자연의 이치와 인간 삶의 의지를 담다

돌이켜보면 인류는 거대한 자연 앞에서 작고 힘없는 존재였다. 그래서 자연의 질서에 순응하는 삶은 안전을 담보하였고 동양에서의 색으로 발현된 오방색은 자연의 이치와 인간의 질서를 상징한다.

서양에서 발달한 색채학에서는 색을 사람의 시각 체험을 구성하는 하나의 요소로 보면서 ① 색상(태양광선의 스펙트럼에 의한 적·주·황·녹·청·남(藍)·자(紫) 등과 구별되는 색합(色合), ② 명도 또는 광도, ③ 채도 또는 순도 등을 분석한다. 모든 색채를 과학적으로 분석하여 빛의 삼원색, 또는 물감의 삼원색을 추출하고, 이를 바탕으로 열 가지 색상환(色相環)을 만들고, 이를 확대해 나가면서 수많은 색의 상호 관계를 엮어 낸다. 이러한 결과는 사물을 과학적·분석적으로 관찰하는 서양의 합리주의적 정신에 기인한다. 그러나 한국인을 비롯한 동양인의 전통적인 색에 대한 관념은 이와 근본적으로 다르다. 한자(漢字)의 '색(色)'이라는 글자는 당초에 '인(人)'과 '절(節)'을 합한 글자로 만들어졌다. 이것은 사람의 마음이 얼굴에 나타나는 것은 부절(符節 : 부신(符信)이라고도 하는데, 나무 또는 대나무 조각에 글을 쓰고 도장을 찍은 후 두 쪽으로 쪼개 한 조각은 상대에게 주고 다른 한쪽은 자기가 보관했다가 후일 서로 맞추어 증거로 삼는 것)과 같이 속일 수 없다는 데서 연유한다.[1]

이와 같이 동양에서의 '색'은 광학적 입장에서 보는 서양과는 달리 인간의 감정이나 정서 상태와 깊이 관련되어 있음을 알 수 있다. 따라서 우리의 삶 속에 뿌리 깊게 연결된 색의 의미와 쓰임을 알면 일상의 주변이 더욱 흥미롭게 다가올 것이다.

오방색의 의미- 자연의 이치와 인간 삶의 의지를 담다

동양에서 우주에 대한 인식은 해와 달의 음과 양, 5개의 행성 즉 목성·화성·수성·토성·금성·수성을 우주관의 기본으로 삼아 생성과 소멸하는 사상관을 음양오행이라 한다. 지구의 구성요소인 나무·불·물·흙·쇠 5원소의 상호 작용과 자연의 이치, 인간의 질서를 색채 의식으로 설명하고자 하였다.

동양에서의 색채는 단순히 눈에 보이는 색에 머무르지 않고 감정과 심리에 미치는 사상이 내포되어 있다. 우리나라는 사계절과 간절기를 포함하여 오계절이라 할 수 있다. 오방색에도 동(청색)·서(백색)·남(적색)·북(흑색)과 중앙을 황색으로 보았다. 태양이 뜨는 동쪽의 청색은 탄생을 의미하고, 서쪽의 백색은 순수함을, 만물이 무성한 남쪽의 적색은 태양처럼 왕성한 힘을, 북쪽을 상징하는 흑색은 지혜를 관장하며, 중앙의 황색은 풍요로움을 의미한다. 이처럼 오방색을 음양오행과 접목하여 실생활의 여러 곳에서 의미 있게 사용되고 있다. 오방색 각각이 나타내는 특성과 상징적 의미를 구체적으로 살펴보기로 한다.

---

1   [출처: 한국민족문화대백과사전(색(色))]

(1) 청색(靑色)

청색은 음의 색으로, 오행 사상에서 동쪽과 봄을 상징함에 따라 창조, 불멸, 신생, 초월을 상징하고 주술적 복을 비는 색으로 쓰였다. 청색은 적색에 대비되고, 차가움의 청색은 뜨거움으로의 적색에 대비 되어 왔다. 현대에서는 평화, 평온, 용기 등의 의미로 사용한다. 예로부터 하늘의 색으로도 쓰여 부활과 탄생을 의미하고 빨강과 함께 벽사의 색으로 옛 여성들이 선호하던 색으로 서민에게도 허용되어 널리 쓰인 성장, 발육하려는 기운을 가진다.

(2) 백색(白色)

백색은 양의 색으로, 서쪽과 하늘의 태양을 숭배하는 가을을 상징함에 따라 신성함, 순결과 정화, 진실, 삶 등을 상징하며[2], 순수함을 의미하는 색으로 쓰였고, 깨끗함과 청정 그리고 평화를 의미하는 백의민족(白衣民族)의 색이다. 희고 깨끗하며 밝은 사상에서 신성한 색의 사상에 연원(淵源)이 있다. 백색은 소색(素色)이라 하여 가공하지 않은 자연의 색으로 어떤 색으로 물들이거나 물들지 않은 자존과 같은 마음을 나타낸다. 현대에서는 결백, 순결 등 고결한 정신, 무(無)의 상태를 의미하는 색으로 사물의 형태를 바꾸고 변형시켜 따르게 하는 기운을 가진다.

(3) 적색(赤色)

적색은 가장 강력한 양의 색으로, 남쪽과 여름을 상징하고, 진취적 힘을 나타내는 색으로 양기가 왕성하여 만물의 생성과 힘을 상징하고 주술적으로는 악귀를 쫓는, 부적 등에 사용하였다. 새색시가 찍는 연지곤지, 금줄에 꽂은 붉은 고추, 스님 법의(法衣)의 홍가사를 걸치는 것도 재앙과 나쁜 기운을 물리치는 벽사의 색으로 여기기 때문이다. 또한 권위를 상징하기도 하여 서민층에서는 사용할 수 없었다. 현대에서는 열정의 색으로 표현, 지나친 강렬함, 분노 등의 의미도 있지만 만물을 정화하는 기운을 가진다.

(4) 흑색(黑色)

흑색은 음의 색으로, 북쪽과 겨울을 상징함에 따라 강한 메시지를 전달하는 힘, 잠재력, 물과 같은 음유(陰柔)한 성질이 있고, 삶의 지혜를 관장하며, 슬픔, 권위를 의미하는 색으로도 쓰였다. 검은 머리는 젊음을 상징하며 상장이나 조기는 죽음을 나타낸다. 흑색은 모든 색을 받아들임으로 누구나 편안하게 사용하였다. 현대에서는 우아함과 세련미를 상징하면서 긍정적인 이미지로 전환된 색으로 만물을 교류, 번식시키며 변화하는 기운을 가진다.

(5) 황색(黃色)

황색은 양의 색으로, 중앙과 늦여름을 상징함에 따라 태양, 풍요를 의미하고, 따뜻한 색으로서 힘을 상징하고 우주의 근원으로 번영을 상징하는 빛깔로 임금님의 위엄을 상징하여 황색 곤룡포에 금실로 수놓아 입었고, 불교에서는 경전을 황색 종이에 썼다. 현대에서는 번영을 상징하는 빛깔이라 하여 희망의 색상으로 만물을 조화와 중용으로 감싸며 지지 해주는 기운을 가진다.

---

2   문은배, 『한국의 전통 색』 p.320.

또한 옛사람들은 우주를 관장하는 제왕 밑에 각 방위를 수호하는 신령스러운 동물이 있다고 보았다. 고구려 석실 무덤의 동방에는 청룡, 서방에는 백호, 남방에는 주작, 북방에는 현무의 사신도나 풍수지리에서 말하는 좌청룡·우백호 또한 오방색과 밀접하게 연관되어 있다.

| 인선왕후영릉산릉도감의궤 | 인원왕후명릉산릉도감의궤 | 선조목릉천장산릉도감의궤 | 인원왕후명릉산릉도감의궤 |

<표1> 사신도,

출처: 국립중앙박물관

오방색은 인간 생활 속에 밀접하게 관련 지어져 있다. 음양의 조화로 이루어낸 오방정색과 이를 바탕으로 각 방위의 사이에는 중간색인 오간색이 있어 한국인의 색채 의식에 근간이 되었고, 색의 조합에 따라 상생과 상극의 작용이 있다.

우리의 삶 속에서의 오색의 개념은 단순히 5가지 색의 구성이 아닌 자연의 조화와 인간의 삶의 의지를 포함한 심리의 반영으로 상징적 원리는 시각으로 보이는 색 뿐만 아니라 신체와 감정, 맛, 소리, 계절에도 적용하여 문화적으로 많은 영향을 미친 것을 알 수 있다.

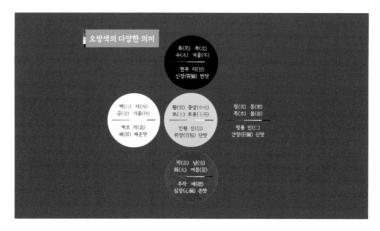

<표2> 오방색의 다양한 의미

출처: 한재색 연구소

오방색의 쓰임- 문화와 생활 속으로 자리매김 하다

(1) 색동

색동은 '색을 동 달았다'라는 의미로 동은 한 칸을 말한다. 오방정색을 주요색으로 하고 간색을 배색하여 만든 것으로서 배열이나 배합은 음양오행설에 의한 상생의 색을 조화시킨 것이다. 저고리는 오정색을 쓰고 치마는 오간색을 쓴다고 하였다. 이처럼 음양오행을 기본으로 한 색동 옷을 돌이나 명절에 아이들에게 입혀 나쁜 기운을 막아 건강과 무병장수를 기원하고, 만물의 조화로 복을 받고자 소망하는 길상의지(吉祥意志)가 반영된 것이다.

(2) 오방낭(五方囊)

오정색과 오간색을 적절하게 배색하여 활용하였다. 오방(五方)에서 복을 불러들이기 위해 지니고 다니는 것으로 오색(五色)의 좋은 기운을 고루 받기를 바랐다. 오방주머니를 평생 세개를 이어서 차면 후세에 좋은 곳으로 간다는 믿음으로 노인들은 붉은색의 주머니를 소장하는 것을 즐겼다. 그 이유로 수(繡)와 음(音)이 같은 수(壽)로 여겨 어른들께 드리는 주머니에는 십장생 무늬로 장수를 기원하였다고 한다. 아이들이 주로 사용하는 오방낭은 소원지를 담아 방문(房門) 손잡이에 걸어두면 그 소원을 들어준다고 믿었으며, 돌이나 새해에 복을 기원하며 선물해 주기도 하였다.

| 색동저고리 | 수장생문오방낭 |

<표3> 색동저고리

소장: 경운박물관 | 오방낭 출처: 국립중앙박물관

(3) 음식

한국의 전통 음식은 대체로 적색, 녹색, 황색, 백색, 흑색으로 이루어져 있다. 대표적인 음식인 비빔밥, 구절판, 떡국이나 국수에 얹는 고명, 간장독에 넣는 붉은 고추, 동짓날 팥죽, 수수팥떡, 백설기 등도 나쁜 기운을 물리친다는 믿음으로 음양오행에 따른 것이다. 우리 음식은 오곡, 오과(五果), 오신채가 있다.

(4) 단청

궁궐이나 사찰, 사당 건물의 단청 또한 오방색을 기본으로 삼는다. 단청은 건축물의 주재료인 나무를 보호하는 물리적인 목적과 건축물의 위엄을 드러내기 위한 정신적인 목적이 결합된 형태이다. 우리 선조들은 붉은빛이 나는 황토를 건축 재료로 사용하였으며, 나쁜 기운을 막고자 벽이나 기둥에 붉은 칠을 하였다. 또 목조건물에는 박쥐무늬(복과 자손 번성), 연화문(자비와 극락정토)을 칠하여 왕궁과 사찰의 위엄을 표현하였다. 궁궐 건축의 단청은 정적이면서도 웅장한 멋을 느끼게 하며, 권위적인 무늬와 호화로우면서도 은근한 기품을 지니고 있다. 통일신라 말기에 단청은 궁궐이나 사찰에서만 사용했고, 고려시대는 녹색과 청색이 주조를 이루었으며, 조선시대 전기는 무늬가 복잡하고 빛깔이 다채로웠으며 중반 이후는 검소하면서도 건실한 의장으로 표현되어 시대의 변화, 목적, 용도에 따라 다르게 표현되었다.

| 비빔밥 | 단청 |

<표4>

(5) 주술적 의미

오방색은 선사시대부터 샤머니즘의 색채 관념으로 주술적 의미를 지녀왔으며, 색의 관점에서는 지배와 피지배 관계에서 성립되기도 했다. 우리 민족은 자연을 숭배하며 토속신앙에 중점을 두고 오방색을 지혜롭게 사용하였다. 자연환경이 인간의 삶을 결정지었으므로 자연을 신성시하면서 위험을 줄이려는 샤머니즘으로 이어졌다. 이에 음양오행에 근거한 주술적 의미가 우리의 전통생활을 유지하고 이어온 것이다. 동양학 중에 사주와 음양오행의 원리를 적용해 사람의 과거, 현재, 미래를 해석하는 사주 명리학과 우리 전통색인 오방색의 색채 원리는 구조적으로 다르지 않다.[3] 자연의 존재나 신비적인 힘으로 인간의 길흉화복(吉凶禍福)을 해결하고자 함은 우리 문화와 토속신앙의 전통성으로 이어져 왔고, 지금 일상에 많이 배어있음을 볼 수 있다.

| 서낭나무 |

<표5> 서낭나무

출처: 한국민족문화백과사전

3   박지영, 「명리와 한국 전통 색의 비교 분석을 통한 음양오행 사상의 고찰」, 「한국색채학회논문집」 제29권 4호, (2015): p135.

오방색이 전통색으로 맥을 이어온 것도 자연과 인간, 인간과 인간관계의 연계성을 내포하고 있기 때문일 것이다. 어릴 적 여름날 손톱에 봉숭아물을 들이고 첫눈이 올 때까지 지키고 싶었던 기억, 첫 월급으로 부모님께 빨간 내복을 선물하는 풍습으로부터, 전통 문양과 색으로 표현된 회화, 한류스타인 방탄소년단 뮤직비디오 속에서 볼 수 있는 전통, 우리의 자랑스러운 태극기까지, 오방색은 주변 곳곳에서 상징성을 볼 수 있다. 단순히 각인되는 5가지 색에 그치지 않는, 그 이상의 의미를 지니고 있음과 음양오행과 오방색을 토대로 한 색채 배색의 상징성 제안은 우리를 넘어 세계화할 필요성과 여유를 찾기 어려운 현대인의 삶에 부합할 충분한 가치가 있을 것이다.

일월오봉도 : 조선시대 왕의 권위와
존엄의 상징을 공유하며

일월오봉도는 조선시대 어좌 뒤편에 놓였던 그림으로 오행을 상징하는 다섯 개의 산봉우리와 음양을 상징하는 해와 달, 한 쌍을 이룬 폭포, 장수와 변함없음을 상징하는 소나무, 파도치는 물결 등의 소재가 좌우 대칭으로 표현된 그림으로 오봉병·일월오봉병·일월오악도·일월곤륜도로 부르기도 한다. 조선시대 문헌에는 오봉산병(五峰山屛)과 오봉병(五峯屛)이라는 용어가 사용되기도 했다.

<그림1> 일월오봉도
소장: 국립고궁박물관

일월오봉도는 우리나라에서만 볼 수 있는 독특한 형태로 중국이나 일본에서는 발견되지 않는 장르이다. 조선시대 국왕의 일상생활이나 궁중의 각종 의례에는 오봉병이 차지하는 막중한 위치에도 불구하고 오봉병의 도상(圖象)이나 그 유래에 관한 기록은 전하지 않는다. 다만 중국의 고전《시경(詩經)》,〈소아(小雅)〉편에 실린〈천보(天保)〉에 거론된 '천보구여(天保九如)'의 내용에 왕의 덕을 칭송하고 그를 위해 하늘과 조상의 축복을 기원한다는 내용을 담고, 산〔山〕, 언덕〔阜〕, 산등성이〔岡〕, 큰 언덕〔陵〕, 남산, 천〔川〕, 월〔月〕, 일〔日〕, 송백〔松柏〕 등 아홉 가지 물상이 거론되는데 일월오봉도에 이러한 도상이 거의 대부분 나타나는 것으로 보아《시경》의 내용을 시각화 한 성과로 이해되고 있다.

조선 후기 대다수의 오봉병은 크기나 폭에 관계없이 다음과 같은 형식상, 구도상의 특징을 보인다. 1) 화면 중앙에 다섯 개의 봉우리가 배치되는데, 가운데 가장 큰 산봉우리가 위치하고 각각 두 개의 작은 봉우리가 협시(挾侍)로 배치되어 있다. 2) 해는 중앙 봉우리의 오른 편에 위치한 두 작은 봉우리 사이의 하늘에, 달은 왼편의 두 작은 봉우리 사이의 하늘에 떠 있다. 3) 폭포 줄기는 양쪽의 작은 봉우리 사이에서 시작하여 한두 차례 꺾이며 아래쪽의 파도치는 물을 향해 떨어진다. 4) 네 그루의 적갈색 수간(樹幹)을 한 키 큰 소나무가 병풍의 양쪽 구석을 차지하고 있는 바위 위에 대칭으로 서 있다. 5) 병풍의 하단을 완전히 가로질러 채워진 물은 비늘 모양으로 형식화되어 반복되는 물결무늬로 문양화(文樣化) 되어있다. 산과 물의 경계선 또는 작은 봉우리 같은 형식화된 물결들의 사이사이, 혹은 그 두 군데 모두에 위로 향한 손가락을 연상케 하는 역시 형식화된 하얀 물거품들이 무수히 그려져 있다.[1]

이렇게 표현되어 어좌 뒤에 놓인 일월오봉도는 절대자가 다스리는 삼라만상의 세계를 시각화한 것으로 음양과 오행의 원리를 보여주고 있다. 흰 달과 붉은 해가 좌우로 나뉘어 둥그렇게 떠 있고 그 아래로 청록산수, 금니로 표현된 다섯 봉우리, 양 골짜기에서 떨어지는 폭포 줄기와 산 아래 물결과의 연결 등 짙은 채색과 정교하고 생기 넘치는 필선의 잘 계산된 장식적 표현은 분명, 영원한 생명력을 상징하는 자연을 통해 임금의 권위와 안일의 영속성을 나타내기에 충분할 것이다.

장황(粧䌙/裝潢)[2]의 형식으로는 4첩, 8첩, 협폭(挾幅), 삽병(揷屛) 장지문 등 다양한 형태가 있다. 가장 흔한 형식은 8폭과 10폭 병풍으로 높이가 4 미터에 가까운 것도 있지만 대개는 2 미터 미만인 경우가 많다. 대부분 일반적인 병풍의 형식으로 남아 있지만 전주 경기전(慶基殿)의 태조 어진 뒤에 있었던 4첩 병풍은 4폭의 크기가 같지 않은 독특한 형식으로 가운데 두 폭은 247×86cm, 양쪽 두 폭은 247×78cm, 전체 크기는 247×333cm로 다른 병풍과 차이를 보인다. 물결무늬로 가득한 물과 흰 포말 부분이 병풍 전체 높이의 반 이상을 차지하는 점이 다른 오봉병과는 차이가 있다.

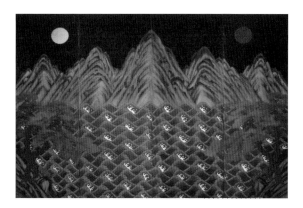

<그림2>일월오봉도 출처: 경기전

<그림3>일월오봉도삽병, 김은희 작

---

1 출처: 한국민족문화대백과
2 그림이나 글씨를 족자·병풍·책·액자 등의 형태로 꾸미는 일

조선 궁궐은 총 5곳이나 실제 일월오봉도가 사용되었던 곳은 경복궁, 창덕궁, 창경궁, 덕수궁(구 경운궁)이다. 현재는 경복궁의 근정전, 창덕궁의 인정전, 명정전, 덕수궁의 중화전에 있다. 또한 왕의 초상화를 모신 신선원전, 전주 경기전 같은 곳에도 있는 것으로 보아 어진(御眞)을 모신 곳이나 어진을 이동할 때, 왕의 시신을 모실 때도 배설되었음을 알 수 있다. 또한, 민화 일월오봉도는 19세기 말 화원화가들이 궁궐 밖에서 일반 판매를 위한 작품을 만들었는데 종로 광통교 아래 형성된 서화 시장에서 다른 장식 병풍들과 함께 판매되었으며 민간에서는 무당집 같은 곳에서 신이나 왕을 모실 때 사용하기도 했다.

<그림4> 일월오봉도 미디어아트
출처: 국립중앙과학관

현대에는 일월오봉도를 미디어아트 전시로 3월 31일까지 국립중앙과학관 자연사관에서 개최한다. 익숙한 회화 작품이 아닌 미디어아트로 표현되는 자연의 생동감을 체험하는 감상 방식은 또 다른 예술적 감성으로 다가올 것이다.

우리나라의 독특한 장르인 일월오봉도는 조선시대 국왕의 표상으로 궁중회화를 가장 대표하는 그림이기는 하지만 신분 사회가 없는 지금은 도상의 해석을 달리할 수 밖에 없을 것이다. 그로 인해 현대를 살고 있는 우리는 세상의 힘든 삶의 여정을 음양오행의 상서로운 기운으로 액막이하여 각자의 바람을 담은 길상의 표현으로 재탄생 하여 전통의 맥을 이어 나아 가길 바란다.

사랑과 꿈을 담은
행복한 우리 그림-민화(民畵)..

우리 선조들의 사랑과 꿈, 삶이 녹아있는 우리 그림 민화는 화면을 화려하게 수놓는 장식성뿐 아니라 서민들의 소박한 바람과 염원을 솔직하고 해학적으로 담고 있다. 민화의 발생과 기원을 정확히 알 수 있는 문헌과 자료는 없다. 그러나 우리 민화는 고대사회로부터 계승된 민족의 신앙과 사상을 상징하고 표출한 대중문화로서 한국 회화사와 맥을 함께 했을 것이다. 민화는 건강하고 질박한 서민 문화로 일반인에게 아름다움을 통한 기쁨과 해학뿐만 아니라 민속신앙의 인간 본위 우주관과 인생관, 윤리의식과 예문(禮文)에 대한 경애심을 갖게 하는 기능까지도 지녔다. 이렇듯 한국의 역사 속에서 언제나 존재하는 그림이었으나 조선 후기 본격적으로 유행한 그림으로 도화서 화원들이 그리던 궁중회화가 민간으로 확산하면서 등장한 그림이다. 특히 조선 말기는 민화의 전성기로 그림, 옷, 자수, 건축물, 석조물 등에서 다양한 주제로 여러 계층에서 향유되었다.

1. 민화 감상법

민화는 어떻게 감상해야 할까?

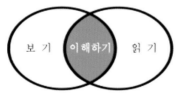

보 기   이해하기   읽 기

<그림 1> 민화감상법

민화는 한 민족이나 개인이 전통적으로 이어온 생활 습속에 따라 제작한 대중적인 실용화[1]이다. 민화를 보는 법으로는 1) 구도와 배치 2) 선과 필치(강약 및 섬세함) 3) 채색과 농담 4) 묘사된 사물의 독창성이나 정교함 등의 작가의 솜씨를 감상하는 일 일 것이다. 그러나 그뿐만 아니라 작가의 솜씨 감상과 함께 그림 속에서 나타내는 상징성과 의미를 파악하여 작가가 전하고자 하는 메시지를 읽어 내야 한다. 따라서 민화는 이미지와 상징이 조화를 이룬 그림으로, 조형성과 함께 상징성 속에서 우리는 동시대의 정신적, 사회 경제적 환경과 밀접한 연관성을 이해하는 것이 올바른 민화 감상법이라 할 수 있다.

---

1   출처: 한국민족문화대백과사전(민화(民畵))

2. 민화의 주제

민화의 주제를 살펴보면 1) 종교적 민화와 비종교적 민화 2) 작가와 작풍에 따른 분류 3) 화목별(畫目別) 분류로 나누어 볼 수 있다. 이는 한국 고유의 신앙인 무속과 도교적, 불교적, 유교적 교훈과 장식을 위한 풍속화, 인물화, 고사화, 기록화, 산수화 등을 화원화가, 화승, 떠돌이 화공, 순수함을 지닌 일반인들까지 다양한 작가 군에서 표현하였다. 그림의 소재, 즉 화목에 의하여 민화를 분류하는 방법은 한국 민화를 이해하는 데 가장 좋은 방법이라 볼 수 있다. 불로장생(不老長生)을 기원하는 장생도는 해·구름·바위·물·대나무·소나무·영지·학·사슴·거북 등을 그린 십장생도와 송학도(松鶴圖)·군학도(群鶴圖)·해학반도도(海鶴蟠桃圖)·군록도(群鹿圖) 등이 속하며, 왕의 용상(龍床) 뒤에 놓았던 일월오봉도(日月五峯圖) 역시 장생도의 성격을 지니고 있다고 볼 수 있다.

<그림 2> 십장생도 병풍
출처: 국립 고궁박물관

민화는 다양한 현실적 욕망을 특정 소재에 의탁하여 인간의 원초적 욕망 및 현실적 기대와 염원을 담은 길상[2]의 소재, 재앙을 몰아오는 나쁜 귀신을 쫓고 상서로운 일과 복을 맞아들이기 위한 벽사, 유가적 상징의 삼강오륜을 기반한 민화가 많이 있다. 동서남북과 중앙의 오방(五方)을 관장하는 청룡(靑龍)·백호(白虎)·주작(朱雀)·현무(玄武)·왕(王), 시간과 공간의 상징인 십이지, 즉 쥐·소·호랑이·토끼·용·뱀·말·양·원숭이·닭·개·돼지 등의 동물들을 그린 민화 역시 역신을 몰아내고 벽사를 위한 다양한 형태로 나타나고 있다. 주로 세화로 그렸던 상서로운 소식을 전하는 까치를 함께 그린 작호도, 호피도 등은 벽사의 가장 대표적인 민화이다.

[그림 3] 작호도, 출처:한채색연구소

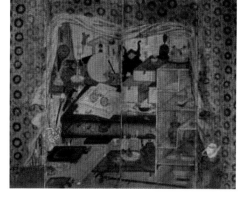

[그림 4] 호피장막도, 출처: 리움미술관

또한, 우리 고유의 무속과 도교, 조상 숭배와 관련하여 발전한 한국 유교는 특히 조선시대의 중심 사상 이었으므로 이에 관계되는 민화가 많다. 감계도·행실도(行實圖)·효자도(孝子圖)와 효제충신(孝悌忠臣)· 예의염치(禮義廉恥) 등 윤리 도덕을 강조하며 교화를 목적으로 했던 문자도(文字圖)는 대표적인 유교 적 민화이다.

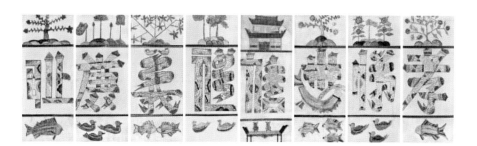

[그림 5] 문자도 병풍

출처: 예나르 제주공예박물관

민화 중에는 집 안팎을 아름답게 꾸미기 위한 장식적인 작품이 가장 많이 남아 있다. 산수화는 8폭 병 풍이 많이 남아 있는데 일반 회화의 산수화와 달리 민화에서는 대개 채색을 많이 사용하고 얽매임 없 는 자유로운 필법으로 정감을 담아내고 있으며, 금강산도(金剛山圖)·관동팔경도(關東八景圖)·관서팔 경도(關西八景圖)·고산구곡도(高山九曲圖)·화양구곡도(華陽九曲圖)·제주도(濟州圖) 등이다. 화훼·영모 (翎毛)·초충·어해(魚蟹)·사군자 계통 민화로는 길상의 화조화(花鳥畫)가 대부분이며, 내용으로 보면 가문의 번창, 가정의 행복, 부부화합 등 음양오행을 바탕으로 여러 구도와 형상으로 그린 그림들이다. 닭이 많은 병아리를 거느리고, 알알이 찬 석류, 포도의 넝쿨은 대대로 자손이 번창하기를 바라는 뜻으로, 부귀영화를 상징하는 모란, 장수를 바라는 나비와 고양이도 많이 그렸다. 절개와 신의, 청아함과 강직함의 상징인 사군자, 즉 매화·난초·국화·대나무와 소나무·파초 등도 비슷한 뜻이 담긴 그림이다. 풍속화·초상화·기록화 또한 예로부터 우리 미술의 중요한 소재였다. 많은 어린이들이 노는 백동자도(百童子圖)로부터 농민들의 생활하는 모습을 그린 경직도, 여러 종류의 춘화(春畫)에 이르기까지 민화적인 풍속도가 남아 있다. 다시점,역원근법 요소의 책거리는 책과 여러 가지 문방구·일상 용품·동물·식물 등 서로 아무런 연관이 없는 물체들을 한 화폭에 담아 구도·형태·색깔·선·점들의 조화·균형·대비·비례와 같은 회화적 요소를 소리의 가락과 장단의 흐름, 음양오행의 상생(相生)·상극(相克)처럼 처리한 작품이다. 한국 민화에는 순수함·소박함·단순함·솔직함·무명성·대중성·동일 주제의 반복과 실용성·비창조성·생활 습속과의 연계성 등의 특성이 잘 나타나 있다.

[그림 6] 화조도

[그림 7] 화조도

[그림 8] 석류도

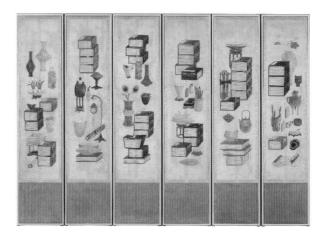

[그림 9] 책가도

3. 민화의 특징

우리 민화의 특징을 요약해 보면 ① 입신출세 ② 부귀유여 ③ 수복장수 ④ 부부화합 ⑤ 다산기자 ⑥ 가내평안 ⑦ 벽사 및 기타로 모든 민화에는 이 세상에서 수복강녕(壽福康寧)과 부귀영화의 축복을 받으면서 불행과 재앙이 멀리 떠나기를 바라는 간절한 소망이 담겨 있다. 현세에서의 행복을 바라고, 기교를 부리기보다는 과장이나 허식 없이 있는 그대로를 우직하고 소박하게 표현하여, 자연·인간·신에 대한 순응과 사랑이 잘 나타나 있다. 인정 넘치고 부드럽고 따뜻한 그림에는 엄격하고 관념적인 일반 회화에서는 볼 수 없는 애정과 사랑이 넘쳐흐른다. 또한 부당한 지배층의 억압, 외적의 침공 속에서도 자신의 나라를 지키기 위하여 끈질기게 이어온 한민족의 강하고 거센 힘·용기·의지가 거칠고 힘찬 선, 짙은 색조, 대담한 구도 속에 뚜렷이 표출되어 있다. 어둡고, 고달픈 생활 속에서도 웃음을 찾아낸 한국인의 낙천성은 민화에서 쉽게 찾아볼 수 있다. 슬픔과 아픔을 기쁨과 즐거움으로 승화하여 익살스럽고 신명나는 작품으로 변모시킨 점은 일반 회화에서는 찾아볼 수 없는 민화만의 특성으로 이는 한국 예술의 바탕이 되는 정신이라 할 수 있다. 보기 좋고, 알맞고, 아름답고, 흥겹고, 구성지고, 잘 어울리는 변화·균형·대비·조화 등의 모든 요소를 합쳐 멋이라 부른다.[3] 비록 같은 주제가 반복되고 이름 없는 이가 그린 그림이라 할지라도 절대로 똑같은 점이 없이 각자의 사랑과 꿈을 담은 행복한 우리 그림 민화의 멋은 그 어느 나라의 명화와도, 비견될 수 없는 가치를 품고 있다.

---

3   출처: 한국민족문화대백과사전

우리 그림 채색화 –
색으로 쌓아 올린 감각과 질료의 발현

채색화는 수묵화와 대별되는 한국화로 반수(礬水)한 바탕재 위에 중첩하는 기법으로 대상물을 표현한다. 흔히 채색화를 색이 있는 그림으로 색채화와 동일시하는 경우가 있는데 재료만이 아닌 양식을 구분해야 한다. 색채화는 색이 있는 그림으로, 채색화는 색을 중첩(반복적으로 쌓아 올림)으로 표현하는 양식의 그림으로 이해할 필요가 있다. 수묵화도 먹물로 그린 그림이라기 보다 먹과 물을 재료로 물의 성질을 이용한 기법 양식의 그림으로 이해해야 한다. 우리의 채색화의 역사는 삼국시대의 고분벽화, 고려시대의 불화, 조선시대의 궁중화와 민화로 맥을 이어 왔고, 해방 후에는 일본화라는 오해와 시비를 거쳐 오늘에 이르렀다. 특히 민화는 순수한 한국적 미감과 정서로 표현된 채색화 양식으로 대표되고 요즘은 채색화의 중심에 있다.

채색화를 결정짓는 요소를 보면 재료, 도구, 기법, 소재, 예술관 등으로 볼 수 있는데 가장 큰 구분으로 재료에서 바탕재와 함께 미디엄(Medium)으로 사용되는 아교이다. 동·서양화의 구분은 안료나 염료의 색 재료는 같지만 미디엄이 다른 특성으로 구분된 양식으로 불리고 있다. 채색화는 재료 자체로부터 작품 제작을 위해 수많은 과정 속에 반복되는 행위와 정성이 지향되며 축적된다. 작품 완성을 위해 바탕재를 화판에 붙이는 작업으로부터 반수를 통한 밑 작업, 바탕에 채색을 겹쳐 올리는 과정, 작가의 의도를 담은 형상이 조화롭게 발현되기까지 수많은 과정을 기다림과 함께 거친다. 동양에서 작품을 제작한다는 것은 완성된 작품의 가치와 함께 그 과정에서 수행하는 정신적 수양을 중시하는데, 채색화는 사실상 이 수양의 과정을 끝없이 축적하며 조화를 이루는 결정체로 최종화하는 작업이다.

이렇게 중첩 표현을 기반으로 현대적 채색 재료와 기법을 통해 동시대의 정신적 가치를 새롭게 발견하고 모색해나가는 과정의 결실이 창의적인 단서로 작용하여 전승을 바탕으로 전통 채색 기법이나 소재와 형식의 현대적 변용은 채색화의 새로운 해석과 한국화의 생존을 위한 다양한 표현 양식으로 거듭나게 될 것이다.

민화를 통해 본 채색화

민화는 요즘 조선 후기에 이어 제2의 전성기라 할 만큼 국내외의 관심과 높은 평가를 받고 있다. 다양한 전시, 단체 활동, 학술 연구 등 민화 관련 분야 종사자의 수가 크게 증가했다. 20세기 후반 본격적으로 양성되기 시작해 21세기 들어 폭발적으로 성장한 현대 민화 작가들이 큰 부분을 차지한다. 그들은 현재 아트페어나 다양한 그룹을 통해 단체전 및 개인전을 개최하면서 민화 전시의 홍수를 이끌고 있고 관련 학술회의 참여도 활발하며 민화의 상업적 활용을 통한 대중화에도 앞장서고 있다. 이는 채색화의 크나큰 성과라 할 수 있다. 민화는 조선 후기에 가장 넓게 대중화된 예술이었음에도 생활 속에서 각종 의례나 집안 장식과 같은 실용적인 용도로 대부분 작화 실력이 부족한 화가나 일반인, 화원처럼 테크닉에 의존한 화가들이, 제작에 참여했다는 이유로 폄하되어 조선시대에는 지금의 민화나 풍속화를 '속화(俗畵)' 또는 '잡화(雜畵)'로 불렸다. 속화는 말 그대로 해석하면 평범한 그림, 저속한 그림이란 뜻으로 문화사적 맥락으로 보면 상남폄북론(上南貶北論)에 의거한 문인화의 상대개념으로 사대부의 시각으로 본 신분 차별의 의식이라 볼 수 있다. 이에 반해 '민화(民畵)'는 일반인의 시각에서 민중 회화의 가치와 위상을 높이려는 의도로 평등한 세상으로 나아가고자 하는 근대화의 산물이다.

1980년대 한국 화단에서는 70년대 단색화에 대한 저항, 민중미술의 부흥, 과한 서양 사상의 우월 의식으로부터 우리만의 고유한 정체성을 찾는 과정으로 민화에 대한 관심이 고조되면서 민화 차용 경향이 확산되었고, 소장파 작가들 중심으로 시작된 채색화 운동의 확대로 채색화 인구가 크게 증가했다. 필자의 대학 시절만 해도 채색화에 대한 수업이 부족했음을 기억한다. 1990년대에 본격적으로 시작된 민화의 사학 연구는 제재에 대한 상징성 연구에 집중적 고찰로 대부분 전통 민화에 치우쳐 있다. 이는 활발히 활동하고 있는 민화 작가들이 본그림의 재현 민화에서 창작에 의한 현대 민화로의 성장이 자칫 기형적인 형태로 발전되지 않도록 전통 채색화에 대한 역사성 고찰이 바탕이 된 현대 시대 민화로 연구되어야 할 것이다.

현대 채색화 작가들은 그들의 창작활동을 위해 전통 소재를 차용하고, 현대 회화로 재해석하여 작품으로 발현한다. 그중, 단순화, 다시점, 원근 개념 무시, 역원근법, 평면화 등 민화적 요소를 차용한 화면 구성 방식을 활용하여 각자의 다양한 기법과 재료로 현대적 메시지를 전달하고자 한다. 이러한 현대 채색화에서 보이는 전통의 현대적 변용은 주로 한국 문화에 뿌리를 둔 현대의 순수 예술 창작을 위한 동시대의 다양한 요소의 결합으로 나타나는 미감이어야 할 것이다. 또한 용어에 대한 정리로 민화는 각 시대별로 영속할 것이니 삼국 시대, 고려 시대, 조선 시대라 말하듯 현대 민화, 창작 민화를 '지금 있는 그 시기'라는 뜻의 '시대 민화'로 정리해 볼 것을 제안한다.

채색화(한국화)의 현 위치

최근 프리즈, 키아프 등 대형 아트페어가 열리면서 아트페어-컬렉터의 막강한 파워를 볼 수 있다. 이 가운데 한국화의 시장에서 관심 밖의 모습이다. 그나마 시대 민화를 비롯한 채색화의 관심으로 약간의 자존심은 세운 듯하나 한국 문화와 전통의 부활, 한국화에 대한 관심이 시급하다.

역사 속 우리 채색화의 전통은 중국과 일본에 영향을 주고받으며 발전해 왔다. 그러나 중국의 현대미술은 수묵화 전통이 중요한 핵심으로 일본은 유미적 장식미를 가진 미술로 발전하여 현대미술의 중심에서 군림하고 있다. 이에 반해 현재 한국 화가들의 대응은 어떠한가? 스스로 유럽이나 서구 미술에 대한 동경에 빠져 그들의 눈높이에 맞추려 따라 하고 있지는 않은가? 이렇게 권위를 잃은 한국화의 설 자리의 애매함이 느껴지는 것은 우리 스스로가 진부함으로 생각하고 선택한 전통과의 단절은 아닌지 되돌아볼 필요가 있다.

채색화는 한국적 특수성을 지닌 표현 양식으로 다양한 색감이나 채도, 질감의 표현에서도 서양화 재료에 못지않게 발현되는 특성을 지니고 있으므로 국제적 보편성에 손색이 없을뿐더러 오늘 한국화의 침체를 극복하고 세계 속의 한국화로 성장할 수 있는 적합한 회화 양식이다. 이를 바탕으로 우리 시대의 철학을 이 시대에 맞는 언어로 시대의 미적 기준에 머무르지 않고 우리 전통의 우수성을 동시대의 세계관에 어떻게 결합할 것인가에 대한 노력이 절실한 때이다. 20세기에 들어 눈부신 경제 발전에 의한 문화적 성숙은 K-POP이라는 대중음악과 드라마의 인기로 급부상하며 우리 문화의 정체성은 국제사회의 크나큰 관심과 주목을 받고 있다.

그중 하나로 스페인 안달루시아 자치 지방 남부에 위치한 공립 말라가 대학에서도 한국 문화와 한국화에 대한 높은 관심을 보이며 필자를 포함한 한국화 작가를 초청하여 4월 27일부터 5월 4일까지 피카소의 출생지인 말라가에서 한국화 전시를 개최한다. 이는 한국 전통문화와 K-아트에 대한 관심과 연구가 더욱 확장될 계기로 이어질 것이다. 얼마 전 BTS 알엠이 스페인 '엘 파이스' 인터뷰에서 "K라는 수식어가 지겹지 않은가"라는 질문에 "우리 조상이 싸워 쟁취하려고 노력했던 품질보증과 같은 것"이라고 말해 감동을 주었다. 이처럼 전 세계가 한국을 바라보고 있을 때 동시대의 세계관을 이끌 수 있는 한국화로 거듭나야 할 것이다.

한국화- 새로운 질료(質料)와 만나다

고대에서 현대에 이르기까지 채색화는 팽창과 위축을 거듭하며 오늘에 이르렀다. 이렇게 발전한 채색화는 현대미술 속에서 변혁할 필요가 있다. 국제적 문화 질서 속에서 어떻게 변화할 것인가? 그렇다고 우리 고유문화의 정체성을 배제한 상태의 변혁이 아니다. 전통이 지닌 특성과 역사성 위에 동시대적 인식과 소통의 중요성을 한국화만이 가질 수 있는 장점의 극대화로 다른 장르에서 느낄 수 없는 독창성으로 발전시키는 일이 한국화의 생존으로 이어질 수 있을 것이다. 우리 시대 최고의 테크놀로지로 시대의 철학과 감성을 형상화하고 소통하는데 게을리하지 말아야 할 것이다.

1826년 사진의 발명은 미술의 역사에서 중요한 의미를 차지한다. 고대 그리스 미술로부터 르네상스 미술을 거쳐 17, 18세기 고전주의 미술에 이르기까지 서양 미술의 역사를 지배해온 고전적 개념은 '미메시스' 즉 자연의 모방 혹은 재현이라는 개념이었다. 그런데 기계적인 장치에 의해서 사물을 정확히 재현할 뿐만 아니라 대량 복제할 수 있는 새로운 시각 매체 형식인 사진의 출현으로 회화는 정체성을 새롭게 탐구하지 않을 수 없게 된다. 이렇게 새로운 기술 매체의 출현이 기존 예술에 끼친 영향은 단순히 예술 형식의 변화만이 아닌 예술 자체의 개념까지도 변화시키는 역할을 하게 된다. 진화하는 콘텐츠에 소외되지 않고 살아 숨 쉬는 한국화의 재생을 위해 우리의 문화유산 역시 다양한 콘텐츠를 활용할 필요가 있다. 이러한 노력으로 각 박물관이나 미술관에서도 AR. VR을 비롯한 다양한 방법의 영상 콘텐츠를 교육자료나 전시자료로 활용하고 있다.

국립부여박물관에서는 신기술 융합콘텐츠 카테고리에서 온라인 학습 영상 자료실이나 VR 체험관 등을 통해 산수, 연꽃, 구름, 용, 봉황, 도깨비를 소재로 탄생한 '백제의 명품, 백제 문양전'!이라는 주제로 문양에 담긴 백제인이 꿈꾼 이상향의 세계가 환상적인 레이저쇼와 함께 펼쳐지고 밤하늘의 별처럼 하늘을 가득 수놓은 형형색색 연꽃들의 향연과 산이 솟고 물이 굽이쳐 흐르는 한 폭 산수화의 세계로 초대한다. 또한 한국의 전통적인 툇마루와 평상을 구현한 디지털 휴게 공간에서는 길이 12m, 높이 2.4m의 대형 초고화질 LED 화면을 통해 부여 규암 출토 금동관음보살입상, 백제금동대향로, 왕흥사지 사리기, 부여 외리 유적 등을 백제 문양전을 활용한 감각적인 영상을 보면서 색다른 휴식을 취할 수 있도록 했다.

출처: 국립부여박물관

국립중앙박물관에서는 이미지가 언어가 되는 시대에서 디지털 실감 영상관은 국적과 나이, 배경지식을 불문하고 전시품에 대한 관심을 갖고 우리의 문화유산을 더욱 친숙하게 느끼도록 하며, 더 나아가 전시품, 유적, 관람객을 잇는 접점이자 어제와 오늘을 잇는 가교가 되고자 한다며 VR 기기와 연동으로 현장과 동일하게 360°로 구현한 가상공간 안에서 더욱 몰입감 있게 소장품을 감상할 수 있고 디지털 실감 영상관을 통해 문화유산을 소재로 한 실감 콘텐츠 상영으로 우리 문화유산이 박제에서 벗어나 역사를 이해하고 자긍심을 갖도록 노력한다.

출처: 국립중앙박물관

디지털 실감 영상관3에서는 고구려 벽화무덤 영상이 정면과 측면, 천장까지 4면을 아우르는 입체 영상으로 고구려 벽화 속으로 인도한다.

디지털 실감 영상관 안내: 국립중앙박물관 (museum.go.kr)

https://www.museum.go.kr/site/main/content/digital_realistic

대전 이응노미술관도 미술관 건축물을 활용한 <2022 이응노미술관 미디어 파사드: 이응노, 하얀 밤 그리고 빛>을 통해 이응노미술관 건축과 이응노의 삶과 예술을 주제로 한 영상을 제공했다.

이응노미디어파사드-1
홍지윤의 '별빛밤'(2020, 비디오, 11'51")

참여 작가 중 홍지윤 작가는 이응노에 대한 오마주로 이응노의 삶과 예술에서 느낀 경의와 이응노가 제시한 동양화의 가능성에 대한 화답을 빛이라는 물질적 속성에 주목하여 황병기의 가야금과 김덕수의 사물놀이 국악이 함께 어우러진 한국의 아름다움을 구현했다.

이응노미디어파사드-2
DEXM Lab-정화용의 '볼텍스 I'(2020, 비디오, 13'41")

정화용 작가는 이응노의 <군상>에서 받은 영감을 바탕으로, 컴퓨터 코드를 통해 무용가의 몸짓과 이응노의 예술을 사슬처럼 재구성해 신체 언어를 매개로 시공간을 가로지르는 환상의 세계로 이끌어 입체적 몰입감을 주었다.

이응노미디어파사드-3
Craft X-강정헌, 윤영원의 '인간. 관계. 우주. 탐구'(2020, 비디오, 15'00")

강정헌·윤영원 작가는 이응노의 예술 세계를 유기체적 우주로 해석하며 군상 시리즈를 중심으로 우주가 가진 생명의 근원과 무한성을 이응노의 창조성과 접목했다. 작품에 등장하는 다양한 우주 구성 물질의 이미지는 이응노의 예술세계를 의미하는 것으로 동적인 영상 구성을 통해 인간이 맺는 관계성을 드러냈다.

이를 주관한 류철하 이응노미술관장은 "예술 세계를 미디어 파사드라는 실감 콘텐츠를 통해 일상 속에서 체험할 기회"라며 빛으로 탄생한 이응노 향연을 감상할 수 있기를 바라는 마음으로 한국화의 변혁에 한발 더 내디뎠다.

동, 서양의 미술사 속에서 우리와 세계의 보편적 미적 가치의 접점을 찾아내어 가장 오래된 재료로 가장 새로운 관점을 제시하고, 가장 새로운 기법으로 가장 오래된 오리지널리티를 표현하는 미술의 실천들을 찾아 길러내야 한다. 동과 서가 뒤섞이고, 과거와 현재 속 결의 이치를 이해한 작품으로 구현한 다양한 한국화의 장을 만들어야 한다. 시대의 흐름에서 세계관을 각자의 작업에 녹이고 풀어 색으로 쌓아 올린 감각을 새로운 매체의 결합과 다양한 질료로의 표현은 동시대의 폭넓은 공감 획득을 위한 형상 발현이라 할 수 있고, 다양한 미디어 아트의 활용은 한국화의 슬기로운 생존을 모색할 방법 중 하나일 것이다.

출처 및 참고: 국립부여박물관, 국립중앙박물관, 이응노미술관, 중도일보보도, 한국민화학회

03
김은희 論
- 작가와 작품세계

홍경한

황효순

허나영

류철하

월간민화

ARTIST &
THE WORLD
OF ART

기다림과 인내의 미학,
한국 전통채색화의 맥을 심다

홍경한
미술평론가

1. 1993년 발간된 『한국의 명화』라는 제목의 한 저서에는 박생광의 채색화에 대해 다음과 같이 기술하고 있다. "생애의 끝에 이르러 이룩한 채색화는 민족미술의 자긍심과 원초적 강인함으로 가득 차 있다. 원색이 폭발하듯 작열하는 그 그림들은 수묵에 주눅 들어 있던 한국화의 색채를 해방시켜 주었고, 패배로 점철된 근대사 속에 형성된 민족의 어둡고 눅눅한 집단무의식을 당당한 모습으로 객관화시킴으로써 민족정서의 아름다움을 회복시켜 주고 있다."

여기서 눈여겨봐야할 대목은 박생광의 화업이 아니다. 박생광이나 김기창 작가의 채색화에 대해 모르는 이는 드물기에 굳이 부연 설명을 할 필요는 없다. 그러나 '수묵에 주눅 들어 있던 한국화'라는 문장은 눈여겨봐야 한다. 왜냐하면 전통채색화에 대한 오해와 함께 시대상을 읽을 수 있기 때문이다.

그도 그럴 것이 오랜 시간 한국화에 있어 우리나라 전통은 수묵화에 있다 여겼다. 수묵 대비 화려한 채색은 '일본화'의 잔재라고 생각했다. 따라서 36년 동안의 일제 강점기 이후 한동안 예술가들은 일본화에 대한 반감으로 채색화까지 꺼렸으며, 실제로도 작가들의 적지 않은 수는 설채를 중심으로 한 수묵화를 한국화의 맥락에 있어 우선했음을 부인하기 어렵다. 여기에 서양미술의 단색화마저 흐름에 가세하면서 채색화는 단절에 가까운 위치에 놓이게 된다. 하지만 수묵화는 물론 채색화 또한 일본화와는 크게 상관없는 영역이다.

사실 한국화의 뿌리는 수묵이 아니라 채색화이다. 그만큼 한국 전통채색화의 역사 또한 길다. 우리나라 고구려 고분벽화에도 등장한다. 벽화에는 당시의 생활상이 반영되었고, 역사적인 사실과 신화 등이 채색으로 표현되었다. 신라시대의 단청이나 고려시대의 불화는 채색화의 강력한 종교적 상징성과 더불어 시대상을 확인할 수 있는 자료로 꼽힌다. 일본 교토 대덕사가 소장한 우리 작품 <수월관음도>(1310년경)를 생각하면 이해하기 쉽다. 고려 관음보살도를 전형으로 한 수려하면서도 온화한 반가좌상의 화취는 고려 견본채색화의 백미로 꼽힌다.

조선시대에도 채색화는 비중 있게 다뤄졌다. 국시로 삼은 숭유억불(崇儒抑佛)과, 중국[1] 으로부터 전래된 남종 문인화 사상내지는 모화사상(慕華思想)으로 인한 수묵 위주의 화풍 탓에 채색화의 제작이 줄어들긴 했지만 현재까지 남아 있는 작품들을 보면 문인들의 수묵화와 함께 직업화가나 일반인들이 화려

---

[1] 중국의 상황도 다르지 않다. 오래 전 먹과 붓을 사용하여 회화세계를 개척한 중국 당송 당시 화단의 주류를 이룬 것은 수묵화이나, 당나라 이전에는 채색화가 회화의 중심이었다. 당송시대 이후에도 채색화는 병존하였으며 현재도 채색화는 활발하게 제작되고 있다.

하게 장식적으로 그린 채색화도 상당수에 달한다. 궁중회화에서부터 민화, 자수처럼 크고 화려한 실용화와 초상화에서 명맥을 유지하고 있음을 알 수 있다. 특히 조선시대 병풍 그림과 무속화는 채색화 특유의 성격과 내용상의 다채로운 세계를 보여준다.

이렇듯 한국의 전통채색화는 심지가 두텁다. 해방 이후 '일본화 청산'이 화두로 떠오르면서 채색화까지 묻어가는 안타까운 상황에 처해지긴 했지만, 역사적으로 볼 때 삼국시대 벽화양식, 고려시대의 불화, 조선시대 초상화, 궁중회화, 민화로 이어지며 우리만의 맥락을 유지해왔음을 엿볼 수 있다. 그리고 엄밀히 말해 한국의 채색화는 일본회화에 영향을 주기도 했다.[2]

2. 동시대미술에서 한국화의 입지가 좁아지고 있다는 점은 수묵이니 채색이니 하는 지엽적인 현황을 이탈한다. 기술발달에 의한 미디어, 설치 등의 작업형식이 미술계를 지배하는 현재, 과거로부터 전해지는 분야에는 소홀한 감이 없지 않은 탓이다. 그건 흡사 옛 것이요, 진부한 그 무엇이라는 인식과 결을 같이 한다. 이런 현실에서도 누군가는 버리지 못할 것에 대해 관심을 둔다. 한국적 회화 양식의 본질을 찾아 우리 전통 채색화를 계승하는 한편, 이를 논리적, 실천적으로 밝히는 일을 게을리 하지 않는다. 그 중 한명의 작가가 바로 김은희이다.

김은희는 민족적-민화적 소재와 색을 차용하여 자신만의 채색화의 세계를 구축해왔다. 누가 책임감을 부여한 것도, 등을 떠민 것도 아니지만, 전통채색화에 대한 남다른 의식과 가치관으로 우리 것에 대한 애정을 이어오고 있다. 물론 무언가를 얻기 위해서는 아니다. 단지 누군가는 해야 할 일이라는 소신과 판단이 낳은 결과이다. 그리고 그러한 소신과 판단은 작가로써 혹은 후학을 양성하는 입장에서도 중요한 나침반이 되고 있다.

우선 그의 작업은 산뜻하면서도 군더더기가 없다. 한국적 품위를 지닌 아취와 안정적인 색채 감각 등을 특징으로 한다. 붉은 색과 녹색 배경에 하얀 꽃이 자리한 <기다리다> 연작에서 알 수 있듯, 가시적 범주 내에선 시적이면서도 차분하다. 어느 경우엔 내면의 심상을 섬세하게 드러내 보임으로써 대상의 매혹성을 강조하지만, <향기로 흐르다> 시리즈에서처럼 또 다른 부분에선 현실과 비현실의 세계가 동시에 열람되는 경우도 있다. 그것은 공통적으로 우미한 채색과 정교함을 바탕으로 하며, 손에 잡힐 듯한 세상을 말하는 듯싶다가도 예기치 못한 시공으로 관람자들을 안내하는 메신저 역할을 한다.

작가는 채색화를 통해 자신만의 색채를 일구어낸다. 분채와 금분, 석채가 혼합된 색은 마치 조선 민화의 선명함을 대하는 듯하며, <은총 속에서>와 <추억의 속삭임> 연작에서 엿보이는 깊이는 대상의 본질을 궁금하게 만든다. 특히 그의 그림은 수십 차례 덧칠하며 완성된 밀도를 통해 제 색을 내는 질료의 특성과 기법에 기대고 있다.[3] 그러면서도 작가는 한국적 색채 확립에도 심혈을 기울이고 있다. 그것은 바로

2 오히려 일본의 잔재는 동양화와 서양화로 구분하는 이분법이다. 일제는 한국 전통화의 가치를 떨어뜨리기 위해 서양화의 반대 개념으로 한국의 조선화를 동양화라 칭했으며, 그것이 지금까지 이어져 오고 있다.

3 작가는 이에 대해 자신의 작가노트에 다음과 같이 적고 있다. "전통 채색화는 밑 작업에서부터 수십 번의 덧칠에 의한 색을 쌓아 올리는 과정을 거치는데 '반수(礬水)'라 하여 호분, 아교, 백반 등을 혼합하여 종이의 불필요하게 스미고 번지는 성질을 없애는 과정으로부터 시작해 작가 개인의 예술적 의지가 발현될 때까지 계속 되는 중첩의 효과를 이용한다. 이는 동양 전통의 선(禪) 사상 중 '돈오(頓悟)'사상이 아닌 '점수(漸修)'사상을 이어받았다 할 수 있을 것이다"

청(靑), 적(赤), 황(黃), 백(白),, 흑(黑)의 오방색(五方色)이다.

3. 전통적으로 한국화에서의 색채는 오방색[4]에 기원을 두고 있다. 감각적이고 시각적인 관점에서도 오방색은 발색을 달리할뿐더러, 우주인식과 상생상극의 세계를 열어주는 양(陽)의 색이자, 음(陰)의 색인 간색과 함께 방위와 음양오행의 원리를 색채 의식에 적용하곤 했다. 무극에서 피어난 음과 양, 그것에 방위와 의식까지 담은 오방색은 색채마다 감정이 실린다는 게 특징이다.

예를 들어 남색은 목(木)으로 냉정, 생명, 이상, 순수 등을 상징한다고 여겨져 온데 반해, 벽사의 색인 적색은 오행 가운데 화(火)에 해당되어 정열, 공포, 창조 등을 상징한다. 이밖에도 금(金)에 해당하는 백(白)은 진실, 결백 등을, 흑(黑)은 수(水)에 해당하며 지혜를 뜻한다. 황(黃)은 오방색의 중심으로, 임금의 색으로 불렸다. 때문에 임금은 금색 옷을 입었다.[5]

하지만 오방색은 모든 이들에게 길흉화복과 무병장수를 의미하는 색이기도 했다. 조선시대 혼례 시 가례에 입었던 녹의홍상이나 아이를 출산했을 때 붉은 고추 등을 대문에 내거는 것, 연지곤지를 신부의 볼에 바르던 풍습, 서민들의 집에 한두 개씩 지녔던 붉은 부적, 아이들이 오방색 저고리를 입거나 한 이유 또한 같은 맥락이다. 따라서 오방색은 우리네 삶과 떼려야 뗄 수 없는 관계를 갖고 있다 해도 무리는 없으며, 이는 김은희가 오방색을 고집하는 이유나, 민화와의 관계성을 외면하지 않는 이유와 동일하다.

김은희 작업에선 색의 상징성이 각각의 사물과 대상을 통해 발현된다. 단순한 이미지의 접목이 아니라 그 하나하나마다 전통적 맥락 아래 구현되고 있다는 것이다. 이와 같은 흐름은 그의 작품 <바람을 머금다> 연작에서의 청과 적, <부귀영화> 시리즈에서의 청, 적, 황, 흑 등을 통해 확인할 수 있다. 제목이 암시하듯 무언가를 이루길 원하는 <기원> 시리즈는 물론, 다소곳 피어난 매화를 그린 <그리움> 연작, <행복을 담다> 연작도 마찬가지이다.

이들 작업은 단지 색깔을 입힌 바탕에 꽃을 그린 것이 아니라 앞서 언급한 오방색의 의미들을 대상화된 자연물들과 상호 호환적으로 배치시켜 놓고 있다는 게 보다 적절한 해석에 가깝다. 기 설명한 색의 감정을 텃밭으로 연꽃은 군자와 출세, 매화는 선비, 국화는 지조와 정절, 다산 등의 의미배합에 중점을 두는 식이다. 물론 꽃[6]은 다양한 색깔과 형상을 하고 있기에 아름다움의 명사라는 점도 부인할 수 없다. 유구한 역사 아래 자리한 무속과 세시풍속, 의례로써의 꽃과도 결을 같이 한다.

작가는 이 모든 의미들은 거둬들여 자신의 작업에 적용한다. 그러니 그림마다 가볍게 넘기지 못한다. 상징화된 색과 꽃을 일일이 해석하는 재미도 있다. 그런데 보기완 달리 그의 많은 작품들의 경우 상당한 노동력을 필요로 한다. 전통 채색화는 본래 한 번의 획과 색 면으로 완성되는 것이 아니라 한지 바탕에서부터 수십 번의 중첩이 필요하고, 그래야만 원하는 색을 얻을 수 있다. 어쩌면 지루하면서도 고된 과

4 오방색은 청(靑), 적(赤), 황(黃), 백(白), 흑(黑)의 5가지 색이다.

5 그만큼 조선시대의 색은 계급을 나타내는 의미로도 사용되었음을 알 수 있다.

6 한데, 전래적 의미에서 꽃은 '환생'이며, 발생의 기원은 여인의 삶에 있다. 그런 점에서도 김은희에게 꽃은 남다를 수 있지 않을까 싶다.

정일 수 있으나, 김은희의 작업은 그러한 절차를 수없이 거친 끝에 태어난 인내의 산물이다.[7] 그러므로 그의 작품들은 외적으론 하나의 이미지이자 작가의 시선에서 포착한 자연의 표상일 수 있지만, 작가의 미적의지가 투사된 결과물이라 해도 과언이 아니다.

4. 대중 속에서 호흡하고 민중 속에서 발아(發芽)한 미술은 그 뿌리가 쉽게 흔들리지 않으며 생명력이 길다. 전통 공예를 비롯해 한지예술(韓紙藝術), 채색화의 참 맛을 느끼게 하는 다양한 작품 등, 우리가 시선을 돌리면 별로 어렵지 않게 인지할 수 있다. 하지만 제 아무리 뿌리 깊은 나무할지라도 무관심하거나 적절한 관리 및 관심이 이뤄지지 않는다면 언젠가 고사되고 만다. 다행히 일부 작가들에 의해 전통은 계승되고 있으며, 그것을 통해 우리 옛 선조들의 생활상과 현대적으로 번안된 시간을 발견할 수 있다. 민화[8]가 그렇고 여타 채색화가 그렇다.

미술사적으로 민화는 통상 조선시대 전통회화의 영향을 토대로 일반 서민들 사이에 유행하던 소박한 예술을 지칭한다. 오랜 역사를 지니고 있음에도 조선시대를 거점으로 함은 가장 왕성한 제작이 이뤄졌기 때문이다. 비록 병화(兵火)와 전란(戰亂), 약탈로 인한 소실이 커 남아 있는 작품만으론 기껏해야 3백여 년에 머무르지만 여러 가지 고문(古文)이나 현장을 기초로 넓혀보면 그 역사는 결코 짧지 않다. 울주의 청동기 암벽화, 고구려 고분에 그려진 그림이나 백제전(百濟塼)에 부조된 물과 구름 및 바위나 나무의 뜻과 모양은 훗날 조선 왕조의 민화와 유사함을 발견할 수 있다.[9] 그만큼 민화는 우리와 가까웠으며 역사가 장구(長久)함을 증명하고 있음이다.

이 가운데 김은희 작업에서 읽히는 민화적 여운은 한 민족이나 개인이 조상대대 전통적으로 이어온 생활 습속(習俗)에 따라 그려왔던 대중적인 문화의 소환이라고 할 수 있으며 작가의 그림에서도 그 중심적 성격으로 자리한다. 그것은 민중 속에서 태어나고 민중 속에서 그려졌기에 토속적인 미의 세계를 포함한 아우라(Aura)자체가 독특할 수밖에 없고, 김은희 작업에서 주목되듯 그렇기에 내용적으로도 부귀영화의 축복이라든가 불행과 재앙이 멀리 떠나기를 간절히 바라는 우리의 보편적 마음이 녹아 있다.[10] 흥미로운 건 현란하지만 침잠된 색채로 한국적인 미의식을 강하게 드러내고 있는 그의 작품을 분석해

7　작가에 따르면 "기다림과 인내를 기본으로 조금씩 쌓아 올리는 전통 채색화의 작업은 그동안의 채색화의 길만큼이나 힘든 작업임에 틀림없다. 지금은 손쉽게 구하고 빠른 건조 발색이 뛰어난 다양한 재료들이 채색화의 재료로 많이 쓰이고 있으나 본인은 본질에서 벗어나지 않는 느리지만 천천히 한지 위에 수간채색(분채), 석채, 금분, 은분 등 전통 재료로 중첩하여 얻어지는 어우러짐의 전통의 방식을 택한다." 그러면서 "한국화로 불리는 회화는 '전통의 계승'이라는 명제에서 자유롭기가 쉽지는 않은 듯하다."고 솔직하게 피력한다.

8　민화는 사람들의 본능적인 회화 의지와 욕구의 표출이었으며 종교와 생활 습속에 얽힌 순수하고 대중적인 실용화라고 정의할 수 있다. 민화는 전통 사회의 한 모습을 잘 보여주었고 시대를 비추는 거울로서의 역할에 다가섰다. 민가(民家), 궁궐(宮闕), 사찰(寺刹)을 불문하고 집을 장식하는 정도에 그치지 않았으며, 삶을 윤택하게 하고 무언가에 대한 기원을 의미하는 기능을 가졌다. 길흉화복(吉凶禍福)에 대해 예지할 것이라고 믿었고 우리의 주거 공간 안에서 건조물(建造物)과 사람을 하나로 맺어 주는 매체(媒體)이며 생명체였다. 특히 민화의 꽃이라고 할 수 있는 병풍은 그 냉랭함과 외로움을 훈훈한 사랑과 인정으로 감싸기 위해 꼭 필요했었다. 이처럼 역사상 민화의 공통된 주제는 궁극적으로 나와 우리의 '삶'이었다.

9　신라 토기(土器)에서, 그리고 고구려 자기에 그려져 있는 그림들과 문양(文樣)에도 조선왕조 시대의 가구나 그림, 도자기에 남아 있는 민화와 비슷한 모양들이 수없이 나온다. 사람들이 많이 왕래하는 곳에 걸어 놓았던 충신 그림이나 선박(船舶), 전각(殿閣) 등에 한국식 색깔로 단청(丹靑)한 것도 민화의 성격과 정체성을 담보로 한다.

10　이는 민화를 단순히 민중들이 아무렇게나 그린 그림이라는 편견(偏見)을 배척(排斥)하기에 충분했다. 내세(來世)의 안녕과 영원성을 기원하는 서구의 그것과는 달리 우리 민화 속 그림들에는 현세(現世)에서의 행복을 비는 우리들의 솔직하고 소박한 심정이 가교없이 들어 있었던 것이다. 더욱이 자연과 신(神)에 대한 사랑과 친근감이 잘 나타나 있는 그것들은 대체적으로 익살스럽고 소박한 형태를 가지며 희망적이고 정감어리다.

보면 민화의 얼개를 갖고 있음에도 현재의 어떤 작품 못지않다는 점이다. 단순화하거나 과장된, 대범한 경향, 관조적(觀照的)인 형식을 이용한 원색의 강렬함, 시점 없는 도식(圖式) 등, 그의 작품에서 확립된 여러 가지 특징은 지금의 미술에서의 쓰임과 별반 다르지 않아 고전과 현대, 양자 간 묘한 정서적 순환성을 내포한다 해도 그릇되지 않다.

여기에 켜켜이 쌓인 세월의 깊이와 비례한 지속성은 역사만큼이나 생활과 밀접한 관계를 맺은 채 '우리 것'이라는 개념을 낳고 있으며 이와 같은 결은 전통의 중요성이나 그 각별함을 대변함은 물론 여타 장르가 쉬이 넘볼 수 없는 변별력을 갖게 하는 요인으로 부족하지 않다. 이는 예술성에 관한 가치판단의 기준이 되기도 한다. 하지만 무엇보다 중요한 건 그의 작업 밑동을 이루고 있는 철학이다. 작가의 말에 따르면 그것은 "유가, 도가에서 시작한 철학적 동양 사상이 예술적 영감이나 사유의 바탕이다."

5. 작가는 필자와의 인터뷰에서 "일반적으로 채색화를 서양화로 알고 있다."며 "채색화는 한국화라는 점을 알려주고 싶다."고 말했다. "더디더라도 채색화의 가치를 만들 수 있도록 고민하겠다."고 덧붙였다. 이를 반영하듯 이전 김은희 작가의 평론을 쓴 황효순 씨 또한 "지금은 많이 변질된 형태로 한국채색화라는 명분아래 빠른 시간에 만들어지는 작품이 양산되고 있고, 채색화의 본질이 변질되어가고 있지만 작가는 느리게 가는 길을 선택해 작업하고 있다."고 평했다. 이 내용은 김은희 작가가 대학 재학 당시인 1987년부터 최근까지의 작품들을 모은 도록 『단상(斷想)』에 실려 있다.[11]

'더디더라도 가치를 생성하는데 주안점을 두겠다'는 작가의 발언은 한번쯤 곱씹을 필요가 있다. 급변하는 세계미술계에서 한국화란 무엇인지, 전통이란 무엇인지 그 정체성에 의문을 표하기 어렵지 않은 현재, 김은희의 작업들은 많은 것을 시사하기 때문이다. 이 시대에 보다 맞는 새로운 회화양식으로 발전될지[12], 아니면 전통의 흐름에서 확고한 위치를 점할 수 있을지, 또는 어떻게, 어떤 식으로의 변화를 추구할지는 작가의 몫이지만 말이다.

---

11 이와 관련해 작가는 "정형화된 화법의 틀에서 벗어나 고유의 감성과 미의식을 발현시키는데 전통에 대한 연구와 관심이 헛되고 부질없는 노력이 아닌 전통이 가장 훌륭한 예술의 스승이라 생각하고 전통 채색화의 기법을 연구하며 느린 한국 화가로의 여정을 조심스레 걸어본다"고 작가노트에 썼다.

12 이는 예술적 가치를 얻기 위해, 또 그것을 유지하기 위해서는 실용적인 측면을 강조하더라도 현시대에 맞는 채색화가 창안(創案)되어야 한다는 것을 의미한다. 여기엔 한국 채색화의 맥을 잇는 정신성, 그것을 근간으로 한 변용(變容)과 작가적 감수성, 창작력이 요구된다.

질료와 감각,
매체 확장을 통한 의미의 재발견

홍경한
미술평론가

작가 김은희는 한국 문화에서 중시해온 자연의 미를 채색으로 승화시키거나 역사적 장면을 인물로 담아내며 회화의 지평을 넓혀왔다. 전통채색화에 대한 남다른 의식과 가치관으로 우리 것에 대한 애정을 이어오고 있다. 특히 그는 한국적 회화 양식의 본질을 탐구하고 우리 전통 채색화의 맥을 계승하기 위해 노력하는 한편, 이를 논리적, 실천적으로 밝히는 일을 게을리 하지 않아온 작가라고 할 수 있다.

실제 그의 채색화는 하나의 이미지이자 작가의 시선에서 포착한 자연의 표상일 수 있지만, 작가의 미적의지가 투사된 결과물이라 해도 과언이 아니다. 그의 작업에서 여백은 여백대로, 사물은 구도의 균형과 조화 아래 위치한다.

뭔가 은은한 듯 강렬한 분위기와 사물의 속을 살피는 눈과 감정을 표현하기 위한 색과 다양한 음영은 화면의 깊이를 더하고, 의미와 연관성을 지닌 특정 이미지와 모티프는 회화적 가능성을 함축하면서도 일종의 상징주의적인 측면을 읽게 한다. 특히 그에게 질료(質料)는 현실에 존재하는 재료이기도 하나, 물질의 생성 변화에서 여러 가지의 형상을 받아들이는 본바탕이기도 하다. 하지만 민족적, 민화적 소재와 색을 차용하며 자신만의 채색화의 세계를 구축해온 경로와는 별개로 그의 작업흐름에서 눈에 띄는 건 실험적인 면모다. 이는 근래 두드러진 현상으로, 김은희 예술의 방향성을 살필 수 있는 근거이다.

그의 미적 태도의 변화가 본격적으로 드러나기 시작한 건 2021년이다. 2019년만 해도 그의 작업은 전통적인 범주에 속했다. 그러나 그간의 회화 중심의 전시와 다르게 디지털 복원, 영상, 설치 작업 등 다양한 방식의 작업이 선보인 2020년과 시각적 범주에 학술적 영역이 첨가된 2021년 사이, 이전과의 틈이 생겼고 '다시 만난 세계'를 주제로 한 전시를 통해 보다 명료해진다. 채색화에서 디지털까지 아우르는, 이론과 실제 간 교집합을 보여주기에 이르는데, 대표적인 게 바로 철저한 고증을 거쳐 추정한 '백제왕비'의 초상이다.

정확히 말하자면 백제왕비의 초상을 창작하여 백제 여인상 연구의 촉발을 기하고자 했다고 볼 수 있는 이 작업은 과거의 기원 방식과 인류에 대한 믿음을 표현하고자 한 작가의 의도에 따른 것이었으며 회화 내 디지털의 수용은 매체 확장 면에서 꽤나 낯선 것이기도 했다. 2020년 대전 MBC M갤러리에서의 개인전 때 선보인 성모상 등의 일부를 제외하곤 자연물 중심이었다는 점에서 생소한 측면도 없지 않았다. 당시 평론에도 썼지만 우아한 색의 치마를 착용한 채 온화하면서도 이지적인 모습으로 관람객 앞에 선 백제왕비는 채색화 본연의 작품에서 벗어나 생동하는 모습으로 환생했다. 안녕과 고통 없이 평화로운 세계를 열람케 하는 두침의 정면문양은 기호적으로 혹은 상징적으로 디지털로 치환되어 내용적 완성도를 높였고 회화적 연계성을 증명했다. 이처럼 디지털로 변환되어 다시 태어난 백제왕비는 부활과 환생, 기원과 바람을 전하는 매개였고, 그해 선보인 영상 <비옵니다, 시간으로 모이는 바람>(2020)은 공간으로 만나고 시간으로 중첩되는 소원과 바람의 은유였다.

흥미롭게도 김은희는 2023년 다시 한 번 실험적인 면모를 드러낸다. 백제왕비가 체계적인 학문영역을 전시라는 시각 영역에 대입하거나 장르 간 학제 간 경계 없는 동시대미술의 흔적을 열어젖힌 시발점이었다면, 이번에는 동시대미술로의 진행 속도가 더욱 가속화되고 있음을 엿보게 한다. 채색화의 정의와 의미를 부각시키기보단 전통의 흐름에서 확고한 위치를 점한 채 변화를 추구하고자 하는 작가의 미의식을 확인할 수 있다는 점에서 중요한 지점이라고 할 수 있다.

김은희는 '감각과 질료'로 명명한 '단상-2023' 전시에서 기존 채색화의 연장선에 놓인 작품과 더불어 평면회화를 동적인 매체에 이식할 계획이다. 표현의 방식을 새롭게 구축한 영상 작품 <물>(2023)과 <연>(2023)이 그 예이다. 이 작품들은 회화와 마주 한 채 수동적인 것과 유동적인 것이 하나의 프레임에 안착하는 구조를 지닌다. 이중 고요하게 서 있는 연잎이 등장하는 <연>은 청량한 음악을 배경으로 산포된 금빛 가루에 군자와 출세를 뜻하는 연꽃 하나가 느리게 떨어지는 장면을 묘사하고 있다. 시적이면서 명상적이라는 게 특징이다. 일렁이는 물과 안개 자욱한 영상 <물> 역시 사색을 담보한다. 영상에서 음미 가능한 요소들이 회화와 조화롭게 맞물리는 형국이다.

회화와 영상의 교류 혹은 소통은 매우 의미 있는 과정으로, 형식적으로 전통적인 미술장르가 누려온 고정적인 방법론을 우회하는 양태이자 미술, 나아가 표현예술이란 무엇인가라는 보다 본질적인 질문으로 대체되는 상황을 유발한다. 또한 그동안 무한증식과 자가 분열을 거쳐 당대에 이르게 된 2차원적 평면에 어떤 형상이나 이미지를 담아온 오랜 시각예술 중 하나인 회화는 이제 그의 작업에서 확대와 확장으로 나아가고 있음을 알 수 있도록 한다.

그의 영상작품은 사회의 변화에 발맞춰 예술도 여러 면에서 다원화된 세계가 창조된 것이라는 점에서 긍정성을 갖는다. 미학적인 담론이 가능한 기존 회화의 본성을 배척하진 않으면서도 조형적 변화와 함께 자신의 사고와 가치관을 모태로 한 개념과 내용에 보다 집중한 채 깊이에 대한 고민으로 진행되고 있다는 점은 눈여겨보기에 충분하다.

문제는 지금까지 이어 온 주제의식이 얼마나 다양한 조형방식 아래 잉태되어 타인의 접근성을 허락하는지에 있다. 조형적 세련됨은 부차적인 과제이다. 기술적 구현은 시도의 횟수에 비례하기 마련이다. 미적 가치는 기술에 온전히 의존하지 않는다. 따라서 김은희의 이번 작업은 내용과 형식의 접점을 어떻게 보다 새롭고 혁신적으로 이끌어갈 것인지에 대한 스스로의 과제를 남긴다.

다행인 건 최근 몇 년 동안 이어지고 있는 그의 실험적 태도는 연속성을 띠는데다, 작가가 말하고자하는 내용적 측면을 보다 견고히 하는 장치로써 손색이 없었다는 점이다. 장르 간 경계 없는 오늘의 시도는 습관적으로 행하던 조형방식을 해체함을 넘어 '나'에게 주어진 틀을 뛰어넘는 계기가 될 수 있기에 그 가능성에 내재된 가치도 작지 않다.

특히 이번 작품들은 습관적 '틀'로부터의 이탈하려는 작가의 남다른 의지를 보여줌과 동시에 새로운 소실점을 향한 의미 있는 발자국이라는 점에서 특별하다고 할 수 있다. 아직은 작가의 성에는 차지 않을 수도 있고 독자적 언어에 요구되는 단어와 숙어 역시 많겠으나 매체 확장을 통한 도전의식과 그로 인한 의미의 재발견은 무의미하지 않다. 궁극적으로 도달하려는 사유의 공명 차원에서라도 현재의 실험적 경주가 지속되었으면 하는 바람이다.

詩情으로 나타난 김은희의 채색화

황효순
미술평론가

화가는 그림을 왜 그리는가?

우매한 것 같지만 이 질문에 대한 대답은 여러 가지 생각을 하게 한다. 우리가 사람을 보면 그 사람의 첫인상에서 다양한 느낌을 받듯 화가의 그림에서도 작가에 대한 여러 가지 인상을 떠올리게 된다. 이것은 작가가 작품을 탄생시키는 과정에서 고뇌하며 스스로 정화되어가기 때문이다.

김은희는 '그림은 어디까지나 아름다워야 하고, 사람들에게 즐거움을 주는 대상이어야 한다'고 믿는 작품관을 갖고 있다. 그래서, 작가의 그림에서 느끼는 정감도 그녀와 닮았다는 생각이 강하게 든다. 이 작가를 오랜기간 보아 온 사람이라면 그녀가 소녀 감성을 가졌고, 예쁜 것을 좋아하며, 큰 욕심없고 다소 느리게 세상을 보려한다는 것을 알 수 있을 것이다. 그래서 가끔은 그녀가 엉뚱한 매력으로 주위 사람들에게 웃음을 전염시키기도 한다.

이번 도록에 실린 작품들은 30년 작가 개인의 역사가 담긴 그림들이다. 미술대학 졸업 무렵부터 모아온, 삶의 편린들이랄까? 결코 자랑거리로 내 보이고자 하는 것은 아니고, 그냥 지나치기에는 아쉬운 시간의 흔적들을 모아 놓고자 하는 바램으로 엮어 낸 작품들이다. 그래서 인물화, 풍경화로 시작하여 이번 전시에 테마로 등장하는 꽃그림들까지 80여 점 정도가 현재부터 과거로 들어가 있다. 이것은 김은희 개인의 서사이기도 하다.

특히 최근의 작품들은 민화에서 즐겨 사용하던 소재를 끌어내오면서도 색의 정서는 작가의 재해석을 거쳐 원색과 혼색의 터치감을 반복해가며 점이나 면으로 확장된 바탕색을 만들어 내고 있음을 볼 수 있다. 배경 윤곽의 색채가 혼색일 경우엔 단순 선이나 점선으로 형상을 단순화 시키고, 단색의 바탕일 경우엔 강렬한 원색으로 물체를 확장시켜 나가는 감각으로 작가는 화면을 터치해 나간다. 이렇게 정성들인 바탕 위에 나타난 연꽃이나 모란, 들꽃들은 작가 자신의 영역에서 만들어진 심화(心花)가 된다. 예부터 모란은 '꽃중의 꽃'이라하여 '부귀화'로 불려왔고, 연꽃은 진흙 속에 뿌리를 두고 있어도 정결한 아름다움을 잃지 않는다하여 본고지영(本固枝榮)을 뜻하기도 하였다. 이는 뿌리가 튼튼하면 가지가 번성한다는 의미와 함께, 부모가 역경 속에서도 집안을 잘 다스리면 결코 헛되지 않게 자손이 잘 된다는 교훈을 주기도 한 소재들이다. 김은희 작가의 작품 속에서는 이러한 대상의 의미보다는, 전통채색화의 색채 감각이 보는 이의 시선을, 잡아끈다.

전통채색화는 밑 작업에서부터 수십 번의 칠을 반복하여 색을 만들어 내는 과정을 거치고 그 위에 대상을 올려서 또 수십 번의 반복된 붓질 속에 만들어지는 작품들이다.

지금은 많이 변질된 형태로 한국채색화라는 명분아래 빠른 시간에 만들어지는 작품이 양산되고 있고, 채색화의 본질이 변질되어가고 있지만, 그래도 잊혀져가는 것들에 대한 아쉬움을 인지하는 작가들은, 고집스럽게 그 길을 가고 있는 것이다. 김은희 작가도 그 예외는 아니다.

우리 채색화의 전통은 기록이나 작품의 흔적으로 보면 삼국시대로 거슬러 올라간다. 7세기 일본<서기> '중애기'에 '신라는 황금이 많고 채색이 아름다운 나라'로 표현된 기록이나 고구려 고분 벽화의 농익은 색채, 또한 고려불화를 두고 원나라의 세조가'뛰어난 채색이나 화려하고 공교함이 다른 나라에서 그 예를 찾아 볼 수 없다'고 한 기록들은, 우리채색화의 정수를 생각해 볼 수 있게 한다. 이러한 전통은 조선의 유교시대를 지나오며 '색이 강한 것은 육신의 욕망'이라 하여 정신을 해치는 근거로 들어 퇴조현상을 보이게 된다. 이후 조선후기에 와서 민초들에 의해 민화로 다시 살아나게 되지만, 전통채색화는 현대화의 길목에서 만난 일본 왜색풍으로 인해 또 한 차례 혼란을 겪게 된다. 그래서 오늘날 한국채색화는 다양성으로 나타나 재료와 장르에 혼합 형태를 띠고 있다.

그러나 우리가 전통채색화를 중요하게 생각하는 것은 나라마다 선호하는 색이 있기 때문이다. 본래 한국은 사계절이 뚜렷하고, 명랑하여 색채 또한 선명하게 표현된다. 이러한 색은 적, 청. 황„ 흑, 백의 다섯 가지 정색으로 나타나 예부터 화려한 의복이나 방위에도 많이 쓰여 왔다. 푸른 강물에서 오리가 노는 것을 보고 '압록강'이라 부르거나, 산꼭대기 눈이 쌓인 것을 보고 '백두산'이라 부르고, 고고한 인품을 가진 사람을 '청백리'라 부른다. 이것은 우리 민족이 색을 사랑한, 대표적인 예라고 할 것이다.

작가 김은희는 오방색을 선호하는 작가이면서도 색의 쓰임에서는 정색과 간색(정색혼합색)을 사용하여 색의 대비와 색의 동화를 적절히 유도하는 표현을 쓰고 있다. 색을 적절히 쓰면, 모나지 않고 튀지 않으면서, 평온한 마음을 갖는 심리 상태로, 우리 의식가운데 가장 보편적인 조화상태를 유지 할 수 있다. 이번 작품들에서는 그의 심상 속에서 표현된 채색으로 감상의 묘를 느낄 수 있지 않을까 한다.

행복을 위한 염원

허나영
미술평론가

최근 몇 달처럼 모두의 안위를 바란 적이 있었을까. 전 세계 어디도 안전하지 못한 전대미문의 팬데믹 상황에서 우리는 서로의 안녕(安寧)과 건강을 그 어느 때보다 염원(念願)하고 있다. 하루 속히 바이러스를 이겨낼 수 있는 날이 와 전처럼 자유로이 다니며 사람들을 편히 만나고 싶다는 바람을 갖고 있지 않은 사람은 요즘 없을 것이다. 하지만 이렇게 평안(平安)을 바라는 염원은 오늘날의 문제만은 아니다. 인간이 살아가면서 괴로움보다는 즐거움을, 그리고 고행보다는 평안을 갖고 싶은 건 당연한 욕구이자 욕망이기 때문이다. 그렇기에 동서고금(東西古今)을 막론하고 인간은 항상 더 나은 세상을 빌어왔다.

치유의 성모에게 기적을 「비옵니다」

생일 케이크 위 촛불을 끌 때, 대학 입시를 앞두고 있을 때, 회사에 입사할 때, 아이를 낳을 때 등 우리는 인생을 살면서 수많은 순간에 자신의 소망을 빈다. 특히 몸과 마음이 병 들었을 때, 그 절실함은 더욱 커진다. 이에 김은희는 1858년 프랑스 시골마을 루르드(Lourdes)에서 14살 소녀 베르나데트 수비루(Bernadette Soubirous)에게 발현한 성모의 이미지를 제시한다. 일명 '루르드의 성모'라 불리는 이 성모는 치유의 기적을 일으킨 샘물을 알려주었다는 점에서 '치유의 성모'로 일컬어진다. 이러한 증언은 교황청에서도 승인 받아 치유의 기적을 일으킨 샘물과 성모가 발현한 장소는 공식적인 성지가 되었다. 이제는 신을 믿지 않는 이들까지도 자신의 고통을 위로받고 치유 받기 위하여 성모에게 자신의 소망을 빈다. 김은희는 성모가 발현한 모습의 이미지를 채색화로 재현하였다. 성모를 직접 목격한 수비루의 증언을 토대로 하면 '치유의 성모'는 흰 옷에 푸른 허리띠를 맨 채 오른팔에 묵주를 늘어뜨리고 양손을 모으고 있으며, 양 발등에 노란색 장미가 얹어있는 모습이다. 김은희는 이러한 신비한 성모의 모습을 한국의 채색화 기법으로 표현하였다.

오랫동안 우리의 전통 채색화를 되살리고자 노력해온 김은희는 수묵에 비하여 그 평가가 절하되어온 채색화에 대한 안타까움을 가지고 있었다. 사실 우리나라 전통 채색화는 수묵화보다 그 역사가 오래되었다. 게다가 그저 사대부만 즐긴 것이 아니라 왕실부터 민간까지, 그리고 현세를 위한 그림에서 죽은 후 세계를 위한 그림까지 폭넓게 사용되었다. 이렇듯 채색화는 한국 문화의 곳곳에서 우리의 삶과 마음을 돌보아주었다. 이러한 채색의 방식으로 김은희는 치유의 성모의 모습을 재현하고, 이를 본 이들에게 기적을 빌어주고자 한다.

백제금동대향로의 박산

기적을 바라는 인간의 소망이 담긴 예술은 고대부터 이어져 왔다. 선사시대 벽화나 조각상 역시 기원의 의미를 가지는 것으로 해석되기도 한다. 보다 따뜻하고 배불리 먹을 수 있는 삶, 전쟁이 없고 안전한 삶을 꿈꾸기도 한다. 그러한 점에서 동북아시아에서는 천도복숭아가 나는 이상향인 무릉도원(武陵桃源)을 꿈꾸기도 했고, 도교에서는 신선들이 사는 박산(博山)을 상상하기도 했다. 이러한 이상향은 중생들이 쉬이 닿기 힘든 첩첩산중에 있는 곳으로, 아름다운 나무와 꽃이 있고 크고 작은 동물들이 평화롭게 뛰어놀며 신선들이 연주하는 음악이 가득한 곳이다. 특히 도교의 박산은 중국의 한나라 시절부터 크고 작은 향로로 만들어져 사람들이 현실에서도 편안한 삶을 살기를 바라는 마음을 담았다. 이는 백제에도 영향을 미쳤다. 1993년 부여에서 출토된 '백제금동대향로'가 그것이다. 7세기경에 만들어진 것으로 추정되는 '백제금동대향로'는 박산을 용이 받치고 있는 모습이다. 여러 개의 봉우리로 이루어진 대향로의 산에도 여러 동물과 다양한 악기를 연주하고 있는 신선들이 표현되어 있다. 이들 모두 현실의 괴로움을 초월하여 조화롭고 아름다운 이상향에서 삶을 즐기는 도를 통달한 존재들이다. 김은희는 '백제금동대향로'에 표현된 여러 이미지 중 박산을 선택하여 그려, 백제인들이 생각한 이상향을 현대인들도 함께 꿈꾸게 끔 하고자 한다.

무령왕비를 위한 두침과 족좌

'백제금동대향로'의 박산(博山)이 이상향을 꿈꾸었다면, 무령왕비의 두침과 족좌는 죽음 후에도 더 편안하고 좋은 곳을 가기를 소망하는 극락왕생(極樂往生)에 대한 기원을 표현한다. 사후세계는 현세를 사는 사람이 알지 못하는 미지(未知)의 시공간이다. 이에 사람들은 오래전부터 이 미지의 세계에 대한 불안과 공포를 가져왔고, 이를 극복하기 위해 더 나은 곳에 가길 기원하는 여러 상징물 들이 여러 문화권에서 다양한 방식으로 만들어졌다.

김은희는 그 중 공주 무령왕릉에서 발견된 왕비의 두침(頭枕)과 족좌(足座)에 관심을 가졌다. 두침과 족좌는 죽은 이의 머리와 발을 받치는 나무 재질의 공예품으로, 붉은색 바탕에 금박 테두리가 둘러져 있는 화려한 모습이다. 두침에는 금박으로 꾸며진 육각형의 공간 안에 비천(飛天)과 어룡(魚龍), 연꽃, 인동(忍冬)초, 새 등이 그려져 있고, 족좌에는 연꽃과 구름이 표현되어 있다. 이러한 문양들은 극락왕생을 기원하는 의미를 담고 있다. 더불어 불교의 극락을 의미하는 비천 구름, 연꽃 등이 함께 나타난다. 이에 대해 김범수(원광대 문화재보존수복연구소장)는 중국 남조(南朝) 양나라와 백제 간의 교역이 잦았던 만큼 중국의 도교와 불교에 영향을 받았으며, 그 흔적이 무령왕릉비의 두침과 족좌의 문양에서도 드러난다고 보았다.

또한 백제와 형제간이라 볼 수 있는 고구려 고분 벽화에도 화려한 넝쿨 문양이나 구름과 함께 비천 등 상서로운 동물들이 표현되어 있다. 이렇듯 백제와 연관된 문화권에서 극락왕생과 죽은 자를 보호하고자 하는 의미로 사용되는 형상들이 무령왕릉비의 두침과 족좌에 다양하게 나타난다는 것은 왕비가 죽은 후 아름답고 편안한 곳으로 가기를 바라는 마음을 담아 만들어진 것이란 의미이다.

김은희는 이 무령왕비의 두침과 족좌의 본래 모습을 추정하여 디지털로 재현해보고자 한다. 보는 이들이 보다 현실감있게 감상할 수 있도록 3D 디지털 이미지로도 복원하였다.

그리고 채색화로 다시 살아날 무령왕비에 대한 기대

김은희는 '성모상', '백제금동대향로' 그리고 '무령왕비의 두침·족좌', 정안수 까지 한 장소에서 함께 선보인다. 이는 언뜻 보면 전혀 무관해 보이는 작품들이다. 시대적·공간적 배경이 각기 다르기 때문이다. 그러나 이들 모두 인간의 원초적인 행복과 소망을 빈다는 기원의 의미를 담고 있다는 공통점을 갖고 있다. 이러한 기원의 의미를 강조하기 위해 김은희는 한국의 익숙한 기원문화인 '정안수'를 하얀 사기그릇에 담아 설치하였다. 타지의 자식이 안녕하길 바라고, 부모님이 건강하기를 소망하는 등 삶의 소소한 행복과 평안함에 대한 염원을 담던 정안수의 메시지를 다시 한 번 상기하기 위해서다.

기원의 의미를 찾는 다음 여정으로 김은희는 우리 역사에서 분명 존재하였으나 그 존재감이 묻힌 '무령왕비'를 되살리고자 한다. 유골과 같은 물리적 근거가 존재하지 않는 관계로 이는 역사적 복원이라기보다 작가적 입장에서 구현한 모습일 것이다. 하지만 김은희는 여러 연구를 참고하여 두침과 족좌 등의 유물 중심으로 무령왕비의 모습을 연상하였다. 이에 백제 역사의 한 부분을 만들어간 무령왕비의 이미지를 시각화하고자 한다. 이는 미지의 세계로 남아있는 과거의 일부를 되살려 그들의 행복을 기원하고 우리의 평안함을 염원할 수 있는 기회가 될 것이다. 그렇기에 다양한 기원의 요소를 담은 작품들과 함께 어우러져 채색화로 표현될 무령왕비의 모습이 자못 기대된다. 채색화의 방식으로 재현한 치유의 성모가 보여주는 따뜻한 기운처럼, 무령왕비의 모습 역시 우리에게 더 나은 내일에 대한 희망과 기원을 품을 수 있게 해 줄 것이다.

네 명의 작가들이 펼치는
물성과 물질에 대한 역설적 방법론

류철하
전시기획자

종이와 비단은 동아시아 문명과 문화의 빛을 세계에 전해 주었던 매우 상징적인 재료이다. 종이의 발명 이후 지식세계의 전달과 교류, 문명의 발전이라는 정보혁명 뿐만 아니라 인류 문화는 시와 회화라는 예술의 상상력을 종이 위에서 펼쳐 보임으로서, 한 단계 상승되었다.

또한 비단은 복식문화와 함께 성장하여 '비단길'로 지칭되는 동서교류의 상징으로 널리 알려져 있다. 비단은 불화를 비롯한 동아시아 중세 문명의 전성기를 대표하는 회화 장르의 재료로서 오늘도 굳건히 보존되고 있다. 1072년에 그려진 곽희의 <조춘도早春圖>는 막 피어오르는 봄의 생기를 담은 북송(北宋) 시기를 대표하는 작품으로 대만 고궁박물원 전시실에 여전히 건재하고 있다. 천년을 넘는 의미와 상징, 무한한 해석이 곽희의 비단 그림 앞에 전개되어 있다.

신라시대 저지(닥나무종이)로 알려지고, 고려시대 중국 묵객들의 사랑을 받은 고려지, 즉 고려종이는 다듬이질이 잘 되어 "섬유질이 희고, 고르고, 질겼으며, 종이의 질이 누에고치처럼 부드럽고 깨끗해서" 중국에 수출되어 각별히 사랑받았다.

현재에 이르러 종이(한지)는 루브르박물관 등 세계박물관 기록유산과 유물보존의 특별한 재료일 뿐만 아니라 상하이국제종이비엔날레 등 종이의 잠재력에 대한 새로운 가능성을 탐색하는 공통 상징이자 시도로 자리하고 있다.

<종이와 비단>이라는 제목을 달고 실제 종이와 비단에, 동양적인 재료와 기법으로 작업을 하는 네 명의 여성 작가들(김도영, 김은희, 성민우, 임서령)이 있다. 미술은 물질적인 재료와 표현법에 기반한 창작이기에 종이와 비단이라는 전통적인 재료는 '과감한 형식파괴와 새로움'이라는 현대미술의 개념에는 맞지 않는 재료인 것은 분명하다. 한자(漢字)라는 고전형식을 해체하고 그 자신의 문자로 새롭게 추상화한 이응노 작업의 선례에 비추어 보면, 분명 종이의 본질적인 형태에 기반한, 비단의 순전(純全)한 형식을 녹인 회화작업은 전통적이고 보수적이다.

그러나 종이와 비단이라는 재료 자체의 문제 보다는, 재료가 가진 수용성, 즉 '흡수하고, 적응하며, 동화하는 수용성의 세계'를 어떻게 볼 것인가? 겹겹이 쌓아가는, '맑고 고요하며, 직관하는 세계에 대한 정적'을 어떻게 대상에게 말할 것인가의 문제인 것이다. 회화적 시선이 가닿는, '불완전하고 연속적이지 않는 표면에서 발산하는 색의 진동'과는 다르게, 한 세계를 온전히 감싼 빈틈없는 아름다움에 대해 어떤 설명을 할 것인가?

이것에 대한 논리를 이렇게 설명하고자 한다. 우리 문화에 내재한 전통적인 색이 있다. 우리의 주거 환경과 풍토, 무한한 시공간에서 느낀 이 색들은 빨강, 파랑, 노랑의 삼원색 뿐만 아니라 흑과 백을 포함한 겹겹이 둘러싸고 있는 무수히 많은 색들이 모인 세계이다. 우리말의 형용사처럼 매우 분별적이고 불가사의한 색들이 파스텔처럼 분열된 자연색의 세계를 예민하게 고정된 어떤 감각으로 표현한 것, 이것이 감각적 수용성으로서의 세계인 것이다. 이 세계는 일상이 녹아있는 서사이기 보다는 순간으로 모든 세계를 압축적으로, 그리고 무엇보다도, 투명하게 보여주어야 하는 세계이므로 거의 시(詩)에 가까운 세계이다. 동양회화는 시간의 서사가 잠시 유보된, 직관이 작동하는 영역이기에 색은 매우 예민한 겹으로 쌓인다. 종이와 비단은 이 예민한 겹을 위해 화면 뒤에서 색이 스며들게 하기 때문에 아름다움은 즉각적으로 다가오는 것이 아닌 서서히 안착하는 미묘한 깊이에 의해 조정된다. 물성과 물질에 대한 역설적인 방법론, 이것이 전통회화의 인식과 소통방법이다.

네 명(김도영, 김은희, 성민우, 임서령)의 여성작가들은 동양회화의 역사와 전통 안에서도 현대적이고 분별적인 감각으로 소통할 수 있다는 것을 보여주려고 한다. 비단 하나에도 수백 가지의 다른 전통색이 나오듯이 종이와 비단은 전통재료를 넘어 보다 미래적인 가능성을 탐구하는 질료이자 영감, 그리고 회화주제 라는 것이 이들의 주장인 것이다.

김도영은 한옥을 하나의 작은 우주로 보고, 자연과 사람을 매개한 간결함, 곧 한옥이 가진 미와 덕을 표현한다. 한옥은 텅 비어 있으나 충만하고, 별과 달이 마당에 내려앉아 있거나, 담장이 집과 사립문을 안고 있는, 문학적 풍류가 가득한 공간이다. 경쾌한 색감으로 표현된 한옥은 모든 세부 사물이 정돈된 민화 같은 단순함으로 표현된다. 짧은 선들이 중첩된 중복되고 안정적인 붓질은 화면의 밀도를 정연하게 만든다.

김은희는 석채가 주는 감각적인 강렬함과 색감, 그리고 자연을 닮은 단순한 형태, 대지로부터 연속적으로 생성되는 듯한 표현 등 매우 독특한 작품을 보여주고 있다. 연속적으로 이어진 선들과 점들은 고대 암각화의 생명순환을 연상하게 만든다. 붉고 푸른 하늘 아래에서 생성되는 서로 닮은 세계의 연결, 생명의 원초적 힘인 태양빛으로 인해 생성되는 세계의 연속 등이 천연의 온갖 만물을 낳고 있다.

성민우는 풀을 통해 생명의 성장과 번식, 그리고 죽음의 몸에 대한 사유를 지속해 오는 있다. 작고 보잘 것 없는 작은 풀은 수묵과 채색, 금분으로 가득 채워진 생명찬가로 바뀌어 진다. 풀은 자연과 식물, 그리고 인간생활에 대한 추체험이라는 비유이다. 성민우가 묘사한 풀은 개별 이야기가 확장된 존재 세계에 대한 묘사로 더욱 증폭된다. 풀에 대한 묘사력이 더욱 진전되어 이질적이고 낯선 어떤 세계가 형성되고 있다.

임서령의 인물화는 간결하고 여린 필선으로 대상을 정확하고 치밀하게 묘사하고 있다. 이러한 엄격함과는 달리 화면 전체에서 보이는 색감은 탈색된 듯 낮은 채도를 유지하고 있다. 인물과 대상의 급격한 공간구조, 정적인 인물의 투명한 표현, 사색적인 그리고 문학적인 함축 속에서의 공간의 긴장 등은 부수요소가 없어진 현대라는 접점에서 새로운 상상의 힘이 된다.

갤러리동연 기획전 - 김은희展, <관습을 넘어선 새로운 길>

인물화로 그려낸
수천년 역사의 한국美

갤러리동연(관장 박경숙)이 오는 2월 김은희 작가의
기획전을 개최한다. 김은희 작가는 이번 전시를 통해
'한국성'에 대한 깊은 연구와 폭넓은 실험을 반영한
대형 인물화 및 채색화 소품들을 선보일 예정이다.

글 문지혜 기자, 사진 우인재 기자

한국 전통채색화의 현대화를 모색해온 김은희 작가가 2월 21일(수)부터 2월 27일(화)까지 갤러리동연(관장 박경숙)에서 기획전 <관습을 넘어선 새로운 길>을 갖는다. 이번 전시에서는 '한국성'에 대한 깊은 연구와 폭넓은 실험을 반영한 대형 인물화 및 채색화 소품들을 선보일 예정이다. 주요 작품인 <백제 왕비 납시오>는 1971년 발굴된 무령왕릉의 대표 유물에 대한 연구 자료를 바탕으로 한국 전통회화 기법과 서양화법을 접목한 작품이다. 다양한 장신구를 비롯해 유물 적외선 촬영을 통해 밝혀낸 두침頭枕과 족좌足座 유물의 문양, 고대 복식사 관련 문헌 등 한국 전통 문화사를 취합하여 고대 여왕의 모습을 추사追寫하였다. 3합 장지 위로 천연·인공 안료와 순금분 등을 수십 차례 쌓아올려 중첩시켜 만들어낸 깊은 색과 정묘한 필선이 기품 있는 미감을 자아낸다. 작품과 관련해 그의 박사 논문 <백제 왕비초상의 추정 제작 연구>(2021)에서 그간의 연구 궤적을 살필 수 있다.

"고대 역사를 '인물화'로 접근하여 한국 역사에 대한 자긍심과 관심을 높이고자 했어요. 당대의 우수한 조형 미감은 새로운 현대 예술이나 교육 자료로 활용하기에도 좋지요. 창작자뿐 아니라 후학을 지도하는 교육자로서 한국문화의 원형을 찾고 시각화하는 작업은 큰 의미를 갖는다고 봅니다."

그 외 한국 전통채색화 기법으로 성모마리아 상을 표현한 <평화를 빕니다>, 여인의 초상을 그려낸 <여심>등에는 사람들의 보편적인 염원부터 작가의 자전적 경험까지 오방색만큼이나 선연한 이야기가 그득하다.

한편, 김은희 작가는 한남대학교 미술교육과에서 학사·석사 과정을 졸업했으며 원광대학교 일반대학원 한국문화학과 회화문화재보존수복 전공으로 박사 과정을 졸업했다. (사)한국민화협회 진채화 과정을 지도했으며 현재 경희대학교(서울캠퍼스) 교육대학원 창작민화과에서 채색화 이론을 맡고 있다. 한남대학교 미술교육과 강사, 대전문화재단 심의위원, (사)한국전통민화협회 고문이다. 그가 한국성에 천착하게 된 계기는 90년대 중반 대학원 시절 '일본화'를 기준으로 삼은 실기수업 때문이다. 지도 교수들이 '아름답지 않느냐'며 대놓고 일본화 방식을 종용하던 시절이었다. 값비싼 안료와 몽환적인 분위기의 일본화는 분명 아름다웠으나 참된 독창성을 위해서는 작업의 토대가 될 '우리 그림'이 절실했다. 그때 눈에 들어온 것이 바로 민화였다. 대수롭지 않게 여기던 그림이었지만, 우리 것을 찾고자 하는 간절한 마음으로 바라보니 그야말로 신세계였던 것. 자유로우면서도 세련된 조형성은 그에게 잊지 못할 감동으로 다가왔다. 96년, 민화를 재발견한 이후 지금까지 민화를 모티프 삼아 회화작업은 물론 미디어아트까지 병행하며 시공간 및 장르를 초월한 다양한 실험을 거듭하고 있다.

"무엇이 진정한 우리 것인지, 한국적인 그림을 그리고자 하는 마음은 지금까지도 변함없어요. 일종의 사명감이죠. 전통에 대해 연구하되, 새로운 시도도 끊임없이 해보려 해요. 저만의 길을 찾을 때 동시대와 소통하며 진정 우리의 맥을 이어갈 수 있을 테니까요." 민화

04

부록

또 하나의 새로운 시도
NEW INITIATIVE

다시 만난 세계
백제 왕비의 초상화를 그리다

백제왕비 납시오, 장지 위에 석채, 분채, 순금분, 182×122㎝

논고 | 2021년

채색화에서 디지털까지,
이론과 실제 간 교집합으로 이룬
하나의 장면

홍경한
미술평론가

1. 김은희는 작가와 교육자로서 오랜 시간 민족적, 민화적 소재와 색을 통한 자신만의 채색화 세계를 구축해왔다. 실제 그의 화사(畵史)는 한국 전통채색화의 맥락 아래 놓인다. 한국적 회화 양식의 본질을 찾아 우리 전통채색화를 계승하는 한편, 이를 논리적·실천적으로 밝히는 일에도 게을리 하지 않았다. 청(靑), 적(赤), 황(黃), 백(白), 흑(黑)의 오방색(五方色)으로 한국적 색채 확립에 심혈을 기울인 결과 한국적 품위를 지닌 아취와 안정적인 색채 감각 등을 특징으로 한 작업을 만들어냈고, 우미한 채색과 정교함은 곧 김은희의 조형언어가 될 수 있었다.

특히 그는 우리 선조들의 생활상과 역사성에 대한 관심도 높았다. 사람들의 본능적인 회화 의지와 욕구의 표출이자 종교와 생활 습속에 얽힌 대중적 실용화인 민화를 토대로 고전과 현대라는 시공의 틈을 개척한 것도 사실이다. 일례로 그의 작업 전반에 나타나는 단순화하지만 대범한 경향, 관조적(觀照的)인 형식 아래에서의 원색의 강렬함, 시점 없는 도식(圖式) 등, 그의 작품 곳곳에서 목도 할 수 있는 여러 가지 특징은 한 사회나 집단이 오랜 세월 동안 쌓아온 고유한 성질을 유지하면서도 동시대미술에서의 쓰임과 별반 다르지 않다.

이는 모두 전통의 중요성과 각별함을 대변할뿐더러 작가 김은희 작업에 변별력을 갖게 하는 요인이다. 더구나 켜켜이 쌓인 세월의 깊이와 비례한 지속성은 역사만큼이나 생활과 밀접한 관계를 맺은 채 '우리 것'에 대해 고집스럽게 천착해 왔음을 고지하는 대목이라 해도 무리는 없다.

그런 그가 이번엔 다른 차원에서의 새로움을 시도했다. 바로 '백제왕비'의 초상을 추정 제작한 것이다. 아니, 보다 정확히 말해 백제왕비의 초상을 창작하여 백제 여인상 연구의 촉발을 기하고자 했다는 게 옳다.

혹자는 왜 하필 백제 왕비의 초상일까 물을 것이다. 기존 시적이면서도 정적인 채색화와 상당한 거리가 있는데다 2020년 선보인 성모상 <평화를 빕니다>(2019)[1] 등의 일부를 제외하면 초상화라는 범주 역시 생소할 수 있기 때문이다. 이와 같은 궁금증을 충족시키는 단서는 그의 원광대학교 박사 학위 논

---

1 작가는 지난해 10월 개최한 대전MBC M갤러리에서의 개인전에 채색의 방식으로 제작된 성모상 작품을 출품했다. 전시 제목이었던 '비옵니다'에서 알 수 있듯 소망과 기적을 대리하는 의미를 지닌 작품이었다. 그러나 이전부터 '기원'은 그의 주요 주제였다. 다만 이전엔 초상이 아닌 사물로 표현됐다.

문[2]에서 찾을 수 있다.

그는 박사 논문 『백제 왕비초상(百濟 王妃肖像)의 추정 제작 연구_무령왕릉(武寧王陵) 출토유물을 중심으로』(2020)에 백제 왕비초상제작에 대해 자세히 서술해놓고 있다. 연구 목적과 과정, 의의, 한계까지 빼곡히 적시해 백제왕비 초상을 예술의 한 단락으로 차용하게 된 연유를 읽을 수 있다.

그 중 가장 중요하다 여겨지는 목적 관련 기술의 한 부분을 옮기면 이렇다. "백제 역사의 한 시대를 풍미했을 고귀한 한 여성의 이미지를 시각화하고자 하는 일은 우리의 과거를 되살리는 기회가 될 것이다.…(중략)…고대 역사에 대한 관심과 문화재를 대하는 우리의 인식을 새롭게 해 줄 광의적 의미로의 교육적 자료로 활용되기를 기대해본다."

작가는 백제 왕비의 초상 제작의 주인공으로 묘지의 주인이 확인된 무령왕릉의 무령왕(武寧王)의 왕비(王妃)로 했다. "무령왕비의 표준영정[3]은 제작되어 있지 않은 점을 감안하여 본 연구가 추후 무령왕비 표준영정 제작에 동기를 부여할 수 있을 것으로 여긴다."고 할 만큼 의미 있는 위치와 신분이지만 간과되는 측면이 있다고 봤기 때문이다.

하지만 백제왕비 초상 제작은 어려움이 컸다. 고구려나 신라에 비해 백제는 남아있는 자료가 부족했던 탓이다. 사실 백제의 왕과 왕비의 용모를 유추하기 위한 회화 작품 역시 아직까지 발견된 바가 없다. 무령왕릉을 비롯한 백제 고분 중 회화가 등장하는 건 사신도(四神圖) 등 일부에 불과하고, 그나마 인물은 아예 없다.

이에 작가는 왕비 초상 제작을 위해 한국 고대 문화의 회화적 관련 자료를 망라 분석·검토했다. 고려 불화를 비롯한 조선시대의 인물 표현법은 물론 고구려와 신라의 회화, 벽화, 공예, 복식 예술[4] 등을 연구했다. 백제의 귀걸이나 목걸이, 팔찌, 관식(冠飾)[5]등 다양한 장신구에 나타난 문양의 조형과 상징 및 기법, 문헌 기록 등 남아 있는 유물을 근거로 하되 부족한 자료는 전통과 서양미술[6]의 장·단점을 적절히 혼용하여 메웠다.

작가는 사실적 묘사에 의한 외형적 특징도 초상화에 중요한 요소이지만 전통회화의 인물화에서 특히 중시하는 전신론(傳神論: 인물 내면의 정신세계까지 끌어내 표현하는 것)에 충실해야 한다는 생각에 시대정신 및 문화와 역사성도 반영하려 했다.[7]그중에서도 장례에서 시신을 보호하기 위해 사용된 목재 두침(頭枕: 목 베개)과 족좌(足座: 발받침)[8]는 작가의 조형적 맥락이랄 수 있는 기원의 내세관과 관련 사상

---

2 김은희 작업에 대한 보다 분명한 이해를 위해 본 평론 역시 그의 박사 논문에 기술된 내용을 각주로 삼고 있다.

3 여성 표준영정은 현재 13점이 제작되어 있다.

4 왕비의 복식은 고분벽화 등을 참고해 춤이 긴 저고리와 주름치마를, 저고리는 앞여밈은 합임(合袵·섶이 없이 서로 맞대어진 형태)으로 되어 있으며, 소매 끝에는 저고리의 바탕색과 다른 색깔의 선(襈)이 달려 있고, 치마는 빨강·파랑·노랑 등의 색동의 주름치마였을 바탕으로 하여 왕이 소매가 큰 자주색 도포를 입었다는 문헌 기록을 충실히 반영한 기조에 재현한 한복 연구가 권진순의 상상을 참고하였다. 다만 작가는 "이 부분에서 실제 문양과 회화로 표현되는 복식에 어울리는 문양으로의 표현에 한계와 고민이 있었다."고 밝혔다.

5 관에 부수되어 장식적 효과를 내거나 종교적 의미를 표하는 것.

6 작가는 자신의 박사 논문에서 "무령왕릉에서 발굴된 유물과 나타난 문양을 최대한 활용하고 재료 및 제작기법 또한 우리 전통회화 기법과 조선 시대 인물 표현법, 서양화법을 병행하여 반영하였다."고 썼다.

7 작가는 왕비초상을 추정 제작하기 전에 습작의 필요성을 느꼈고, 이에 정면을 응시한 <윤두서 자화상>을 모티프로 삼았다고 했다.

8 작가는 무령왕과 왕비의 두침과 족좌를 당시 백제인들의 다양한 사상적 측면을 바탕으로 충실히 반영하여 제작한 장례용구라는 점을 강조했다.

을 열람할 수 있는 중요한 토대가 되었다.

그렇게 하여 온화함과 인자함, 냉엄함이 공존하는 정면상(정면상은 어진처럼 왕의 위용을 나타내기 위한 방법이다. 따라서 정면상은 왕비의 위용을 표현하기 위해서도 가장 적절하다고 판단된다.[9] 인 백제 왕비 초상이 완성됐다. 무령왕릉에서 발굴된 사료를 기초로 작품의 배경[10]과 얼굴 표정[11]부터 관모[12], 복식(색과 문양도 포함하여)에 이르는 방대한 학술적 자료를 종합해 국내 처음으로 백제왕비를 탄생시켰다. 작가는 이를 '유물을 통한 창작'이라고 했다.

2. 일제 강점기 당시 일본어 교사였던 가루베 지온(輕部慈恩)은 부여와 함께 백제의 옛 도읍지였던 공주 고분을 수없이 파헤친 후 소장하거나 팔아먹은 악질 도굴꾼이었다. 이 탐욕스러운 아마추어 발굴자는 백제 고분 1000여기를 실견했으며 200여기를 실측했다고 전해지는데, 충남 공주에 위치한 '송산리고분군'도 예외는 아니었다. 그 중에서도 6호분은 완전히 초토화되어 같은 조선총독부 소속 일본 전문 학자들조차 분노할 정도였다.

그런데 전문고고학자들에게 장어나 구워주던 가루베의 손을 피해 기적적으로 온전히 보존된 왕릉이 있었으니 우리가 흔히 무령왕릉(백제 제25대 왕의 묘)으로 불리는 '공주 무령왕릉과 왕릉원(송산리고분군)'이다. 비가 억수같이 쏟아지던 1971년 7월 송산리 5호 무덤과 6호 무덤 사이의 배수로를 정비하는 과정에서 발견된 무령왕릉은 고대사 최초로 무덤 주인이 밝혀진 벽돌무덤(전축분)이라는 점에서 고고학사(考古學史)에 있어 가장 획기적인 사건 중에 하나로 꼽는다.

단실묘(單室墓) 내부에서는 무령왕과 왕비의 무덤이었음을 알 수 있도록 한 지석(誌石)과 더불어 두 개의 관(왕의 관이 왕비의 관 보다 한 층 더 높게 설계됐다), 4600여 점에 달하는 화려한 유물들이 쏟아졌다. 이는 1500년 전 동아시아의 문화 중심지였던 백제의 역사를 새롭게 조명할 수 있는 발판이 되었다. 그리고 이 역사적 장면은 작가 김은희에게도 심도 있는 학술적 관점으로의 이동과 작품제작에 관한 실질적 동기를 부여했다.

무령왕릉이 발굴된 지 50년. 우연히도 김은희의 이번 전시 '다시 만난 세계(A Whole New World)'는 무령왕릉과 그곳에 묻힌 이들에 대한 관심이 그 어느 때보다 높은 시기에 개최된다. 하지만 흥미로운 건 시기가 아니라, 1500년 전 동아시아의 문화 중심지였던 백제의 역사 속 한 챕터(chapter)를 살필 수 있는 전시성격과 작가의 남다른 시도에 있다.

우선 기존 회화 중심의 전시와 달리 디지털 매체를 통한 실험성이 전제되어 있다는 점이 눈에 띈다. 앞

---

9 전신입상의 정면상을 전체적인 배경을 단순히 하여 화면 전체에 크게 표현하였는데, 이는 인물 형상에 더 집중할 수 있도록 하기 위해서이다.(논문 『백제 왕비초상(百濟 王妃肖像)의 추정 제작 연구_무령왕릉(武寧王陵) 출토유물을 중심으로』(2020))

10 배경색은 석청을 선택하여 왕비의 품위가 드러나도록 표현하였다 석청의 파란색에서 느껴지는 무한한 영속적 신비감을 통해 심미감을 드러내고자 한 것이다.

11 얼굴의 음영은 서양화의 명암법을 사용하여 눈의 검은자위, 콧방울, 입술의 표현에서 빛의 반사를 나타냈다. 이목구비는 귀는 조금 크게 눈·코·입은 지나치게 크지 않도록 적절하게 배치하여 최대한 자연스러운 형상을 드러내고자 하였다.

12 작가는 관모의 경우 문헌 기록을 참고하여 오라관의 측면 금관식으로 표현하였으며, 오라관 장식으로는 오각형의 금박 편 장식이 머리 주변에서 발견되었고 사방으로 작은 바늘구멍이 보이며 그 크기의 배열이 오라관 둥근 테의 돌림 장식으로 유추하여 장식하였다. 또한 오라관식은 화염문을 약간 과장된 모습으로 순금박을 이용하여 화려함을 더 했다.

서 설명한 한지[13] 채색화인 백제 왕비초상을 중심으로 두침의 정면과 문양들[14]을 디지털로 치환한 작품들이 고증과 작가의 상상력을 밑동으로 다채롭게 선보인다. '새로운 시도(New Initiative)'로 명명된 디지털화는 기존 채색화로부터 확장된 결과물이라고 할 수 있으며, 10가지 색을 숫자로 지정한 후 난수발생으로 임의 변화된 이미지는 색의 위치에 따라 감정의 개입과 느낌이 유동적인 것이 특징이다.

하지만 무엇보다 중요한 건 전시의 핵심인 한 백제왕비이다. 특유의 채색화로 작가에 의해 처음 그려진 왕비의 얼굴은 추정임에도 불구하고 백제의 그것[15]을 닮았다. 작가의 표현을 그대로 인용하자면, 왕비의 턱 선은 둥근 얼굴의 정면상의 공수자세로 표현하였고, 귀는 조금 크게 묘사했다. 눈매는 너무 작지 않고 미간을 넓게 다룸으로서 인자함을 드러낼 수 있도록 했다. 또한 코와 입은 서양화법을 적용했으며 왕비의 장신구는 순금을 사용, 오라관에 금관식, 귀걸이, 목걸이 등으로 화려함과 기품을 더했다.

작가의 작업에 영향을 미친 장례용 나무 베개인 두침과 발받침대인 족좌는 '기원'을 배척하지 않은 채 새로운 시도의 정중앙을 관통하는 소재이다. 백제 무령왕릉은 부부 합장묘로, 목재 두침과 족좌가 두 세트 발견되었는데, 왕비 두침의 경우 원래 표면은 붉은색 안료인 진사(辰砂)로 채색되었고 육각문(육각 거북등 문양)을 얇은 금박으로 장식했다. 그 안에는 천인(天人), 연꽃, 봉황, 어룡 등을 그려 넣었다. 연꽃 위에 왕생하는 극락, 하늘과 이어 주기 위한 상징물이자 상서로움을 상징하는 목조봉황 수식이 조각처럼 새겨져 있었던 것이다.

이는 달리 말해 극락왕생(極樂往生: 더 없이 안락하고 즐거운 정토에서 다시 태어남)이자 연화화생(蓮華化生: 연꽃 속에서 다시 태어남)으로, 윤회의 불교적 관념을 읽을 수 있도록 한다. 그리고 이러한 과거의 기원 방식과 여전히 또 이겨내고 발전할 인류에 대한 믿음을 표현하고자 한 작가의 의도는 지난해 전시에 선보인 영상 <비옵니다, 시간으로 모이는 바람>(2020)[16]과 동일한 동선에 놓인다.(이번 전시엔 편집되어 공개된다.) 그건 지난 전시의 부제처럼 '공간으로 만나고 시간으로 중첩되는 소원과 바람의 은유'이다.

왕비는 이번 전시에 채색화(석채) 본연의 작품에서부터 디지털로 변환되어 다시 태어난다. 백제의 왕비는 색을 갈아입고, 유물에서 발굴된 사물들의 문양[17]으로 제작된 작품들을 통해 새겨진 이미지로 변환되어 부활과 환생, 기원과 바람을 전한다. 실제 작가에 의해 태어난 백제왕비는 우아한 색의 치마[18]를 착용한 채 온화하면서도 이지적인 모습으로 관람객 앞에 선다. 나아가 안녕과 고통 없이 평화로운

---

13 왕비 제작에 사용한 바탕재는 3합의 장지로 전주한지이다. 색재는 광물성·식물성·동물성의 천연·인공원료의 염료나 안료·순금분 등을 혼용하였다. 3합의 장지 사용으로 배접이나 초상화 기법에 많이 사용되었던 배채법은 사용하지 않고 명반과 호분을 넣은 호분아교반수를 기초로 하여 중첩에 의한 전통채색화기법으로 제작하였다.

14 왕비의 두침과 족좌의 고색추정복원모사의 디지털 방식의 재현을 통해 다양한 콘텐츠를 이용하여 우리나라에 소장되어 있지 않은 많은 빛나는 문화유산의 또 다른 방식의 전승 방법을 고민한 결과이다. 예를 들어 두침에 묘사된 서조·비천·어룡·인동·연꽃 등은 주칠 위에 절금법의 귀갑문 안에 세필로 그려진 작은 장식 그림이지만 간결하면서도 세련된 필치는 백제 문화의 우수성을 보여준다.

15 백제문양은 화려하지는 않지만 격조 있는 조화를 보이는 토기나 기와 벽돌, 온화한 불상의 미소, 선들의 유려한 흐름 등에서 소박하고 부드러운 유연성을 찾아볼 수 있다.

16 지난해 선보인 이 영상에는 이번 전시의 제작과정과 두침과 족자, 백제의 아름다운 유물에 얽힌 이미지들도 만날 수 있다.

17 그의 논문을 보면 문양으로는 용문, 봉황문, 어린문, 두꺼비문 등의 동물문과 수목문, 연화문, 인동문 등 식물문 그리고 격자문, 귀갑문, 거치문, 원문 등의 기하문 등이 있다.

18 왕비의 치마는 고구려 벽화나 고송총 벽화에서 볼 수 있는 색동의 치마 모습을 오방 간색과 무령왕릉에서 출토된 구슬에서 볼 수 있는 색으로 표현하였다.

세계를 열람케 하는 두침의 정면문양은 기호적으로 혹은 상징적으로 디지털로 치환되어 회화적 연계성(미적 소통)을 증명한다.

작가는 2020년 전시에서 "우리는 과거에서 현재와 미래를 본다."며 "다양한 방식으로 서로의 평안과 안녕을 빌어 주던 우리 선인들의 기원 방식을 상기해 보았다."고 했다. 이어 "선인들의 각기 다른 표현으로 소박한 바람을 했던 마음의 연장선으로 우리 모두 중첩된 시간에서 각자 바람을 염원하길 소망한다."고 덧붙였다.

이번 전시는 앞선 전시의 '정안수'의 예에서 마냥 무언가를 바라는 간청의 개념을 잇지만[19] 동시에 백제의 문화예술, 아직까진 생성되지 않은 백제왕비에 관한 학술적인 가치까지 포괄한다는 것에 의의가 있다. 채색화의 정의와 의미를 드러내기보단 백제왕비 추정 초상을 통한 인물 연구, 복식 및 장신구 등의 총체적인 고찰을 바탕으로 한 이론과 실제의 접목에 더욱 비중을 두었다는 게 맞다.

그러면서도 궁극적으로 작가는 예술을 근간으로 한 우리의 자긍심 고취와 정체성 확립을 언급한다. 이는 전통의 흐름에서 확고한 위치를 점하는 가운데 변화를 추구하고자 하는 이번 전시에서 잘 드러난다. 특히 체계적인 학문영역을 전시라는 시각 영역에 대입했다는 점에서 장르 간 학제 간 경계 없는 동시대 미술의 흔적을 발견할 수 있다는 것도 주목할 만하다. 그리고 동시대미술로의 진행 속도와 매체의 선 넘기는 다음 전시를 기다리게 하는 이유이다.

---

19 2020년 개인전 역시 그간의 회화 중심의 전시와 다르게 디지털 복원, 평면, 영상, 설치 작업등 다양한 방식의 작업이 선보였다. 그러나 2021년엔 시각적 범주에 학술적 영역이 첨가되었다.

〈百濟 王妃肖像의 추정 제작 연구
- 武寧王陵 출토유물을 중심으로〉 발췌

김은희
원광대학원
한국문화학과

3. 왕비초상의 추정제작

실제의 모습을 알 수도 전하지도 않는 인물인 백제 왕비의 초상을 제작하는 일은 화가로써는 가슴 뛰는 설렘을 갖게 하는 일이 아닐 수 없다. 분명 그 시대를 풍미했을 위엄 있고 존엄한 실존인물이었으나 형상이 전하지 않으므로 그저 유물에 의한 상상일수 밖에 없다. 그러나 역사 속 인물을 追寫하는 일은 역사와 함께 그 시대의 사상이 바탕이 되어야 한다는 생각으로 앞서 언급한 무령왕릉의 출토유물은 백제의 귀걸이·목걸이·팔찌·관식 등 다양한 장신구에 나타난 문양의 조형성과 복식 관련 문헌 기록 등을 보충해 주는 역할을 함과 동시에 백제문화의 다양성을 드러내고 있다.

이와 같이 본문에서 다루어 온 백제문양이나 장식물 등의 자료를 최대한 활용하여 제작했다. 인물의 상은 복원된 백제 귀족 여인의 인물을 참고하며 왕족의 신비감과 아름다움의 표현을 위해 둥근 얼굴형에 젊은 얼굴로 표현하였고, 인물의 크기는 왕비의 위엄을 나타내기 위해 다소 화면 전체를 꽉 채운 전신 입상의 정면 표현법으로 나타냈다.

전체적인 작품의 분위기를 나타내기 위해 앞서 언급한 우리의 전통 오방 정색과 간색의 적절한 사용으로 우리 전통회화의 고대뿐만 아니라 조선시대의 인물 표현법을 아울러 충실히 반영해야 함을 기조로 하여 전통과 외래 미술의 장단점을 적절히 혼용하여 백제 왕비초상 추정 제작에 반영하였다.

1) 초상 제작의 양식 및 재료

일반적인 초상화의 제작방법에는 模寫·圖寫·追寫의 방법으로 나눌 수 있을 것이다. 그 중 본 논문에서는 추정 제작 이므로 추사라 할 수 있고, 초상화라는 명칭은 예로부터 인물화의 일부분이라고 볼 수 있다. 삼국 시대로부터 조선 시대에 이르기까지 先人들의 문헌 기록이나 찬문에서 초상화를 일컬어 眞·影·像·肖·眞影·影子·寫眞·傳神·影像·畫像·影幀·影帖子 등 다양하게 지칭하여 왔음을 볼 수 있다.[1] 본 논문에서는 이 모든 명칭의 뜻을 내포한 총칭으로 사용하고자 한다.

초상화에서 무엇보다 중요 시 할 일은 대상 인물에 따른 용모와 함께 정신이 구현되어야 할 것이다. 앞

---

[1] 『한국민족문화대백과사전』,「초상화」

선 연구 내용으로 백제 여인은 은은한 화장을 했고 자연스러움을 선호한 여인상을 추구한 것으로 유추할 수 있으며, <井邑詞> 설화 속에 등장하는 도미부인의 경우 미려하고 절의가 있는 절세가인으로 묘사되는데 이와 같은 애틋한 망부가가 전해지는 것처럼 지고지순한 사랑으로 절의를 지키는 온순한 여인상이 바로 백제의 여인상이라 하겠다. 그러나 추정 제작되는 왕비의 초상은 일반인과 다른 신비스런 용모 일 것이라는 추측으로 인자함과 냉엄함이 함께 풍기는 화려하며 기품 있는 모습으로 표현하고자 하였다.

또한 초상화는 인물이 취한 자세에 따라 다양하게 분류되는데 서 있는 모습의 입상과 좌상·와상·반가상 등, 인물표현의 범위에 의한 분류로 전신상·반신상·흉상·두상 등으로 구분된다. 본 연구자는 백제 왕비 초상의 추정 제작에 全身立像의 正面像으로 전체적인 배경을 단순히 하여 인물 형상에 더 집중되어 돋보이게 하는 조선 초기의 초상화 형식을 취해 재현하였다.

우리 전통 회화 중 많은 자료가 남아 있는 조선 시대의 인물화나 초상화는 분명 인물의 내면을 표출해야하는 傳神寫照와 밀접한 관계가 있다. 顧愷之의 전신론에서 알 수 있듯이 인물을 그리는 일은 외형 묘사를 사실적으로 표현하기보다는 단순한 형상을 넘어 그려지는 인물의 내면적 본질을 파악하여 정신과 사상까지도 이끌어내는 것이 중요함을 알 수 있다.

이와 같은 영향으로 조선 시대 인물화를 보고 그 인물이 지닌 사상의 깊이와 인품을 읽어낼 수 있는 일은 아주 자연스러운 일이며, 선·색·형·정돈된 구도 등 엄격한 절제미가 보이는 것은 그 시대성이 반영된 시각적 표현이다. 조선 시대 인물화 중 극찬을 받는 윤두서의 <자화상>은 강한 눈빛으로 정면을 똑바로 응시하는 눈과 치켜 올라간 눈썹, 다부지게 다문 입, 섬세하게 한가닥 한가닥 표현한 수염에서 터럭 하나라도 중요시 했던 초상기법에 충실함과 동시에 기

개 넘치는 용맹이 함께 표현된 모습에서 내면의 사상과 정신을 표현했음을 알 수 있다. 백제 왕비초상을 제작하기 전에 습작으로 정면을 응시한 <윤두서 자화상>을 모사해 보았다.

조선 시대 초상화의 정면상과 관련하여 조선미는 <남구만 초상>이 회화사적으로 아주 중요한 의미를 지니고 있다고 본다. 그것은 이제까지의 초상화가 대개 7, 8, 9분면으로 그려져 왔던 데 반하여 정면상이라는 새로운 취각과 暈染法이라는 새로운 기법을 사용했다는 점을 들고 있다. 실록이나 『승정원일기』에 의하면, '정면상은 가장 그리기 어렵지만 어진의 경우 만조백관을 대하는 왕의 위용을 나타내기 위하여 가장 바람직하다'고 기록되어 있다고 밝힌다. 어진을 제외한 사대부상에서는 18세기 초의 <남구만 초상>부터 정면상이 시도되는데, 이는 영·정조 연간에 赴京使行使臣들이 갖고 들

윤두서 <자화상>, 김은희 倣作

남구만초상
출처: 문화재청, 『한국의 초상화: 역사속의 인물과 조우하다』, 문화재청, 2007, p.155.

어온 중국 초상화로부터 영향을 받은 것이라고 보고 있다.[2]

이처럼 정면상은 왕비의 위용을 표현하기 위해 적절할 것으로 여겨, 백제 왕비초상에 그려진 소재 즉 묘사된 인물은 시각적 재현이라는 형식의 문제에 얼굴 표현은 고대 한국인의 얼굴 중 턱선이 둥근 얼굴, 하악이 강조된 얼굴, 얼굴 폭이 좁아 길어 보이는 얼굴의 세 가지 유형 중 턱선이 둥근 얼굴의 정면 상의 공수자세로 표현하였다.

귀는 조금 크게 표현, 눈매는 너무 작지 않고 미간을 조금 넓게 표현하여 인자함이 깃든 표정으로, 적당한 크기의 코와 입은 서양화법으로 표현하여 생기를 불어 넣어 다부진 모습으로 표현했다. 왕비의 화려한 장신구는 오라관에 금관식·귀걸이·목걸이 등은 순금을 사용하여 기품을 더했다.

복식은 우리 문화의 우수성을 알리기 위해 2017년 5월 몽골 한국대사관 주최 '한국의 전통복식부터 현대복식까지'라는 주제의 패션쇼를 위해 한복연구가 권진순에 의해 재현된 왕비복을 참고하였다. 권진순은 1500년 전 해외로 진출한 해양성국으로서의 백제를 제대로 표현하면서도 힘과 깊이가 느껴지는 옷으로 만들고 싶었다. 우리의 숭고한 역사, 조용히 잠자고 있던 백제의 힘을 다시 느끼게 하고 싶었던 것이다.[3] 복식 또한 정확히 알 수 있는 자료가 풍부하지 않으므로 앞선 연구에 의한 고분벽화 등에서 볼 수 있는 춤이 긴 저고리와 주름치마를 입고, 저고리는 合衽으로 되어 있으며, 또 소매 끝에는 저고리의 바탕색과 다른 색깔의 襈이 달려 있고, 치마는 빨강·파랑·노랑 등의 색동의 주름치마였음을 바탕으로 하여 왕이 소매가 큰 자주색 도포를 입었다는 문헌 기록과 은유적이고 세련된 백제의 미감, 결코 소박하지만은 않았을 우리 고대의 왕족 문화에 재현한 한복연구가 권진순의 상상이 더하여졌을 것이다.

2017년 몽골 울란바토르 패션쇼
'한국의 전통복식부터 현대복식까지'

권진순 작
소장: 부여군청

2 조선미, 『초상화 연구: 초상화와 초상화론』, 문예출판사, 2007, pp.130-132
3 <권진순의 한복스토리> '몽골로 간 무령왕', 《대전일보》, 2018. 01. 23

이렇게 권진순에 의해 재현된 왕비복을 바탕으로 본 연구자는 무령왕비 출토 유물 중 두침에 나타난 귀갑문의 육각문양과 다양한 서기문양, 화려하게 장식하였을 구슬의 색감을 대수포와 치마 등에 활용하고 백제 특유의 절제된 세련미를 나타내기 위해 백제 문양을 연구자의 창의적 미감을 더한 궁중복식으로 재해석하였다.

초상 제작에 사용한 재료는 앞서 언급된 모사 복원의 재료의 특성을 참고로 하여, 바탕재는 비단과 함께 가장 널리 사용된 재료인 종이 중 3합의 장지로 우리나라 전주한지를 사용하였다. 한지는 비단에 비하여 내구성이 뛰어나 오래토록 변하지 않는 재료이다. 색재로는 광물성·식물성·동물성의 천연·인공원료의 염료나 안료·순금분 등을 적절하게 혼용하여 사용하고, 접착제로는 가장 널리 쓰이는 아교를 이용하여 고착하며 중첩에 의한 전통채색화기법으로 제작하였다.

2) 초상 제작의 과정

채색화는 바탕재 위에 색을 쌓아 올리며 중첩에 의해 표현되는 기법으로 우리나라는 고대 무덤의 벽화에서 그 기원을 시작한다. 수묵화의 一筆揮之로 빠른 시간에 정신성을 표현 해 내는 것에 비하여 작업과정이 오래 걸리며 수묵화와 대별되는 회화기법이다. 본 연구는 이렇게 색을 반복적으로 쌓아 중첩되어 드러나는 색으로 표현되는 형상을 창작하는 본인의 작업방법으로 앞에 언급되었던 백제 왕비의 형상을 추정하여 나타내고자한다.

(1) 기초작업

먼저 화판을 준비하여 원화 보호를 위한 기초 작업으로, 초배지를 붙이고 그 위에 3합 장지를 붙였다. 채색화에서 원활한 작품 표현을 위해 배접·배채·礬水·泡水 등 바탕작업을 하는데 바탕재에 막을 형성하여 공극을 메워 안료의 접착력과 발색·붓의 운필력을 좋게 하며, 원화의 보존성을 높이기 위한 중요한 작업이다.

본 연구에서는 3합 장지를 사용하였으므로 배접이나 배채가 필요하지 않고 명반을 넣은 호분으로 아교 반수하여 진행하였다. 이때 어느 한 곳에 포수의 양이 몰리면 안된다는 점에 주의해야 한다. 따라서 건조 후 고루 칠하는 작업을 3회 진행하였다. 재료의 물성을 이용한 바탕의 요철이 필요한 경우 수정말·방해말 등 광물질을 이용하는 방법도 있지만 본 연구에서는 평활성을 유지하며 표현하려는 의도에 의해 먹을 이용하여 바탕칠을 하였다. 이는 추후 진행되어 나타날 색과 형상에 대한 깊이감을 더하는 방법으로 본 연구자가 자주 쓰는 방법이다. 채색화의 이러한 바탕 작업은 앞으로 이루어질 각 채색 단계에서 다음 채색을 잘 받아들일 수 있는 기조가 되므로 중요한 작업이다.

동양회화에서 작품 제작은 완성된 최종적 가치도 중요하지만 진행과정에서 정신적 수양을 중시하는 일도 염두에 두어야 한다.

다음으로 전체 작품 분위기에 큰 영향을 미치는 배경색은 품위가 있는 아름다운 석청을 선택하였다. 우리 전통 색상에서는 오방 정색이라 하여 청·백·적·흑·황을 五方位(동·서·남·북·중앙)로 표현한다. 만물의 현상에 빗대어 목·금·화·수·토로 나타내며, 青色은 나무·봄·평화, 白色에 쇠·서쪽·비애, 赤色은 불·

남·여름, 黑色에 물·북쪽·겨울, 黃에 흙·중앙 등의 의미를 부여하고 색마다 상징적인 의미를 내포하면서 내色면의 표현 욕구를 드러냈다.

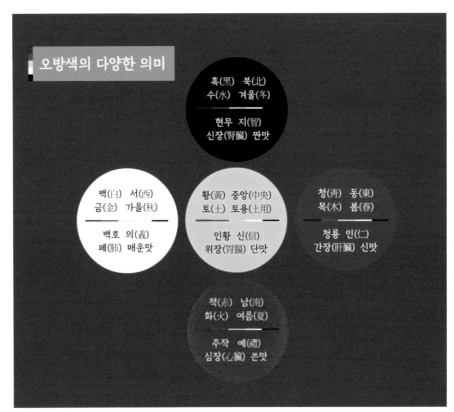

오방색

색은 우리에게 보여지는 모든 개체의 표면에 부여되는 것이다. 화가들은 그러한 색의 발색에 대한 연구나 어떻게 하면 더욱 아름답거나, 강렬하거나 등 각자의 심성 발로에 따라 사물에 색을 부여하고 그와 어울리는 다른색을 배색하려고 노력한다. 그러기 위해 여러 색을 섞기도, 다른 물질을 끌어들이기도, 덜어내기도 한다. 그러한 이유로 본 연구자는 石淸으로 배경을 선택하여 왕비초상의 복식이나 장신구 등을 가장 돋보이게 하고자 하였다. 또한 연구자 개인적으로 중첩으로 쌓아 올려지는 파란색에서 느껴지는 무한한 영속적 신비감의 심미를 표현하고자 하였다.

화면을 준비하는 일과 함께 앞의 연구를 통한 자료를 취합하여 왕비의 정면 응시 전신상의 초를 내린다. 복식은 권진순에 의해 재현된 백제 복식을 참고로 무령왕릉 출토유물 및 백제의 다양한 문양 활용과 함께 본 연구자의 창의성을 더하였다. 그 외 관식·관모·귀걸이·목걸이 등의 장신구는 무령왕비 유물을 활용하였다.

| 호분으로 바탕하기 | 먹으로 바탕하기 | 석청으로 바탕하기 | 초 내리기 |

백제 왕비초상을 추정 제작하는 일은 설렘과 기대감을 갖기에 충분한 주제였으며 흥미롭게 진행되었다. 이렇게 진행된 초를 바탕 작업을 충실히 한 화면에 옮겨 채색을 준비한다.

기조색 올리기

(2) 채색작업

기초 반수 작업을 충실히 하여 푸른색으로 바탕을 표현한 후 미리 내린 초를 전사한 후에 본격적인 채색작업을 시작했다. 인물의 크기는 왕비의 위엄을 나타내기 위해 다소 화면 전체를 꽉 채운 전신 입상의 정면 표현법으로 나타냈다. 전체적인 작품의 분위기를 나타내기 위해 앞서 언급한 우리의 전통 오방 정

| 호분 칠하기 | 얼굴표현 1 | 얼굴표현 2 |

색과 간색의 적절한 사용으로 작품에서 복식의 기조색을 올린 후 머리는 올림머리로 하여 얼굴 부분 채색을 시작했다. 바탕에 푸른색이 칠하여져 있으므로 제대로 된 얼굴의 낯빛을 나타내기 위해 호분으로 밑색을 3번 올린 후 황토, 산호말의 8:2의 비율에 약간의 연백을 혼합하여 희석 후 얼굴 표현에 필요한 음영을 염두에 두며 수많은 붓질을 통하여 이목구비의 위치와 표정을 표현하였다.

모든 인물화에서 얼굴의 표정과 색의 표현은 참으로 중요하다. 특히 본 연구자가 염두에 둔 것은 백제 시대 중 일반인이 아닌 신비스러운 존재인 왕족의 인물 표현이니 더욱 신중함을 기하고자 했다. 예로부터 동양의 회화에서의 인물의 살색의 표현은 안료를 침전 시킨 후 뜬 물을 이용하여 맑은 색으로 보살이나 미인도를 표현했는데, 얼굴에 생기를 불어 넣기 위해 황토와 산호말을 이와 같은 방법으로 얼굴색을 바름질하여 마무리하였다.

얼굴의 음영에서는 적절한 서양화의 명암법을 사용하여 눈의 검은자위, 콧망울, 입술의 표현에서 빛의 반사를 표현했으며, 이목구비는 지나치게 크지 않도록 적절한 크기로 배치하여 자연스러운 모습으로 표현했다.

관모는 백제왕이 금장식이 있는 오라관을 썼다는 문헌 기록을 참고하여 왕비의 모습에도 오라관의 측면 금관식으로 표현하였고, 오라관 장식으로는 오각형의 금박 편 장식이 머리 주변에서 발견되었음에 기인하고 사방으로 작은 바늘구멍이 보이며 그 크기의 배열이 오라관의 둥근 테의 돌림 장식으로 유추하여 장식하였다.

오각형의 금박편 배열
출처: 국립공주박물관

오각형의 금박편 바늘구멍
출처: 국립공주박물관

烏羅冠式의 표현은 측면에 부착된 모습이므로 무령왕비 관식의 제대로 된 아름다운 문양의 형태를 나타낼 수 없어 아쉬웠다. 따라서 火焰文을 다소 과장한 모습으로 순금박을 이용하여 표현했다. 금박 작업 시 유의할 점으로는 정확한 위치에 밀착시켜야 하므로 철저한 형태 및 위치에 대한 준비를 해야 한다. 먼저 금박을 붙이기 전에 관식의 모양을 내 화면에 잘 고정시킨다. 아교의 양은 채색 시 보다 많은 아교와 물을 4:6으로 하여 된 상태를 만들었고, 금박을 붙이는 부분에 진한 농도의 아교를 칠한 후, 얇은 금박은 대나무 집게를 이용하여 정확한 위치에 조심스럽게 올린 후 붓으로 쓸어 밀착력을 높였다.

금박 작업은 가장자리가 매끄럽지 않으므로 관식의 윤곽선을 금니로 깨끗하게 정리해야 한다. 이후 배경색과의 이질감을 줄이고 자연스러운 어우러짐을 위해 금니를 사용한 붓 터치로 마치 頭光처럼 보이도록 하여 신비감을 표현하였다.

금박 관식 표현과정(1)

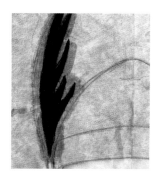
금박 관식 표현과정(2)

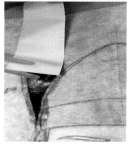
금박 관식 표현과정(3)

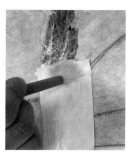
금박 관식 표현과정(4)

금박 관식 표현과정(5)

금박 관식 표현과정(6)

금박 관식 표현과정(7)

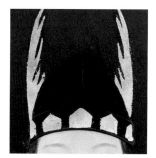
금박 관식 표현과정(8)

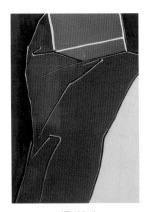

이중 의습선

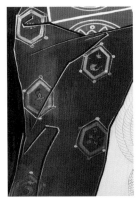

귀갑무늬, 구슬

귀걸이와 목걸이는 무령왕릉 출토유물을 활용하였다. 이 장신구에서 다시 한번 누금 기법을 이용한 백제의 뛰어난 공예의 조형성을 볼 수 있었다.

고대 인물 표현법에서 선의 표현은 고개지가 주로 표현한 春蠶吐絲, 高古遊絲描와 같은 부드러운 선과, 대개 처음부터 끝까지 일정하고 예리한 鐵線描가 주로 사용되는데 본 연구자는 대수포의 의습선은 일정한 선을 유지하는 철선묘로 색 선과 금 선의 이중선을 사용하였고, 복식에 나타난 문양이나 얼굴선 등은 유려한 선을 쓰고자 하였다.

대수포는 진사와 양홍을 5:5로 하여 이후 전개 될 다양한 문양 표현을 위해 되도록 얼룩을 없애며 평면으로 칠하였다. 왕비 두침에서 보이는 금박으로 꾸며진 귀갑문의 공간 안에 飛天과 魚龍, 연꽃, 인동초, 새, 네꽃잎 등이 그려져 있는 모습과 구슬을 그려 넣었다.

왕비의 상징 봉황이 그려질 넓은 소매 끝의 덧댄 부분은 등황과 황토를 8:2로 칠하였으며, 대수포의 가장자리 길게 덧댄 부분은 자색으로 표현하기 위해 진사와 군청 4:6 비율에 연백을 넣어 푸른 계열의 자색으로 표현하였다. 대수포 안의 저고리 부분은 호분을 기조로 약간의 등황을 섞어 칠하고 저고리의 덧댄 깃섶은 얼굴을 돋보이게 하기 위하여 호분에 붉은 계열의 자색으로 칠하였다. 아래로 치마 부분에서는 고구려 벽화, 고송총 벽화에서 나타난 색동의 치마 모습을 다양한 구슬에 나타난 색인 오방 간색으로 표현하였다. 무령왕릉의 출토유물은 백제의 귀걸이·목걸이·팔찌·관식 등 다양한 장신구에 나타난 문양의 조형성과 복식 관련 문헌 기록 등을 보충해 주는 역할을 함과 동시에 백제문화의 다양성을 드러내고 있다. 이와 같이 본문에서 다루어 온 백제 문양이나 장식물 등의 자료를 바탕으로 왕비의 초상을 추정·제작하였다.

참고 문양 위치

<표12> 추정 제작 문양 참고자료

참고문양	참고자료	참고문양	참고자료
	① 무령왕비 관식		⑥ 사화 및 곡옥
	② 오각형의 금편		⑦ 구슬 및 왕비두침 문양
	③ 무령왕비 귀걸이		⑧ 봉황 무늬
	④ 무령왕비 목걸이		⑨ 인동 무늬
	⑤ 연화 무늬		⑩ 무령왕비 관식 정면

대수포 위에 걸친 하피[4] 는 조선시대 궁중복식에서 많이 볼 수 있다. 본 연구자는 이에 따라 고대 궁중복식의 영향 일 수 있음을 추정하여 금색의 연화 문양의 표현과 전체 작품에서의 색조의 어울림을 고려하여 대자색으로 표현하고, 궁중복의 화려함을 더하기 위해 금실에 구슬이 꿰어 있는 수술을 달아 표현하였다.

---

4 왕비, 세자빈 등 왕실의 적통을 잇는 여성의 예복인 대삼형(적의)과 황후, 황태자비의 삼청색 적의, 내외명부 정1품의 예복(원삼)에 착용하는 의식용 부속품. 『한국민속대백과사전』

고분올리기

고분 부분과 금니 칠한 부분 비교

이는 발굴 당시 수많은 작은 구슬들이 흩어져 발견된 모습에 의해 구슬로 의상을 장식하였을 것으로 유추되는 것과 맥을 함께 한다. 하피에 표현된 연화문은 수막새나 전돌에 나타난 문양으로 된 호분을 두텁게 쌓아 올리는 凹凸技法을 사용하였으며, 이렇게 高粉을 이용한 요철 표현에서는 높이를 같이하여 매끄럽게 표현되어야 하므로 매우 힘든 작업이다. 실제 본 연구자도 이 부분에서 많은 시간을 할애할 수밖에 없었지만 만족할 만한 결과를 얻지 못해 아쉬웠다.

대수포에는 넓게 분포되었던 구슬과 무령왕비 두침에 그려진 문양을 활용하였으며, 오라관의 측면 장식으로 인해 관식의 문양을 표현 할 수 없었던 아쉬움으로 왕비 관식의 정면 문양을 대수포 아랫단 문양으로 표현하였고 나머지 단 부분 문양은 인동무늬로 표현하였다.

왕비관식 정면 모양 표현

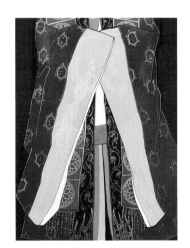

인동 무늬와 봉황 무늬

넓은 소매단에는 왕비의 상징인 봉황무늬를 넣었다. 대수포 단의 인동무늬와 소매 끝단에 그려진 봉황무늬는 많은 양의 금문양으로 자칫 너무 과하게 보일 수 있어 유려한 가는 선으로 표현하여 완성하였다.

백제왕비 완성 작, 122×182㎝

3) 초상제작의 결과 및 의의

실제로 작품을 제작하며 우리나라 고대 인물에 대한 연구자료의 한계성과 우리나라의 인물화나 초상화법에 관해서도 연구한 자료가 드물다는 현실을 알 수 있었다. 또한 제도하에 진행되어지는 표준영정의 선정 절차방식을 통해 초상화의 기준의 양식이나 기법에 대해 알 수 있었고, 또한 고대 인물, 고려시대 인물, 여인 초상화의 제작 연구 필요성에 대해서도 알 수 있었다.

우리 전통 초상화에 대한 연구가 기존의 미술사적인 연구와 제작 기법적 연구로 나뉘어 비교적 자료가 풍부한 조선시대 초상화 연구에 집중되어 있으며, 특히 초상화의 제작 기법적 연구는 臨模를 통한 모사본으로 제작하는 기법을 중심으로 전개되어 왔음을 알 수 있었다. 전통의 계승 발전을 위해서라도 모사가 창작에 비해 결코 폄하 되어서는 안되고, 회화 발전의 한 영역으로 중요한 순기능 역할을 하는 부분임을 확인할 수 있다.

또한, 우리 고대유물을 통해 그 시대성에 대한 이해와 우수한 조형적 미감에 대해 파악하였다. 이렇게 다양하게 접근하여 추정 제작된 백제 왕비 초상 창작의 의의는 무엇보다도 우리 고대 역사를 인물화라는 시각적 방식으로 접근하여 자긍심과 관심도를 고양하고, 이를 교육적 영역까지 확장하여 추후 우리나라에 소장되어 있지 않은 많은 문화유산을 다양한 콘텐츠 형식으로 개발할 수 있는 가능성을 엿볼 수 있다는 점이다. 더 나아가 미술의 조형 형식과 표현 방식이 미학적으로 연구되어 다양한 학문의 발전에도 영향을 줄 수 있을 것으로 기대된다.

VI. 결론

지금까지 왕비초상의 추정 제작을 목적으로 삼국 시대부터 현대에 이르기까지 우리의 여인상을 추적해 보았다. 그러나 아직도 명확하게 한국의 여인상이 어떠하다고 결론을 내릴 수는 없지만, 이웃 나라에 비해 수많은 외침을 당해오는 과정에서 우리 여성들은 고통을 함께 극복해왔다. 따라서 여성이 결코 남성과 비교해 나약한 모습은 아니었을 것으로 사료된다. 특히 왕비는 왕 가까이서 중요한 역할을 해왔기 때문에 왕의 권위와 대응하는 위치에 있었다. 그만큼 백성들에게는 특별한 존재로 여겨진 대상이

될 수밖에 없다. 지금까지 살펴본 내용을 요약정리하고 본 연구가 갖는 의의 및 한계를 밝힘으로써 결론을 대신하고자 한다.

1971년에 발굴된 무령왕릉(사적 제13호)은 무덤 안에서 금관 장식·봉황 장식의 큰 칼·명문이 새겨진 팔찌 등 4,600여 점에 이르는 다량의 유물이 발굴되었다. 특히 왕과 왕비의 머리와 발을 받치는 頭枕과 足座는 고대인들의 사후세계에 대한 관념을 이해하는 데 좋은 지침을 준다. 이를 연구의 소재로 삼았다.

백제문화는 개방적이고 다양한 문화 보편성을 보여준다. 중국 남조와의 교류를 통해 문화의 다양성을 확보하였고, 일본에 문화를 전파해온 백제 장인들의 숨결을 통해 백제가 삼국 문화를 대표하는 것으로 인정받고 있다. 흔히 부르는 '백제의 미소'나 '백제의 얼굴'은 상징적 의미가 강한 것으로 실제 형상과는 차이가 있으므로 '유물을 통한 창작'에 초점을 두고 백제인의 형상을 찾는 작업을 하였다. 한국 고대 문화의 회화적 특징을 찾기 위해서는 관련 자료를 망라하여 분석·검토하여야 한다. 이를 위해 고구려·백제·신라 그리고 가야의 회화문화재 특징을 파악하였다. 특히 회화기법에서부터 인물 표현과 복식 등의 표현이 어떻게 이루어지고 있는지를 검토하였다.

첫째, 고대 회화의 여인상을 추적하기 위해 고대 여인상의 복원사례를 살펴보았다. 그 전 단계로 고분벽화 등에 나타난 회화 속의 여인상은 어떠했으며, 이를 복원했을 때의 특징과 또한 다양한 시대별 인물상들의 표현으로 나타난 표준영정의 현주소에 대해서도 검토하였다. 1995년 부여 능안골 귀족 고분에서 발굴된 백제 여인의 인골을 통해 백제 여인상이 2012년 3차원 레이저 스캔 기술을 통해 백제 귀족 여인의 얼굴이 복원되었고, 2015년에는 전남 나주시에서 출토된 여인의 인골을 디지털 복원 자료도 알아보았다. 또한 무용총벽화의 시녀 상을 기반한 복원 사진 제시와 2020년 제66회 백제문화제 공식 포스터에 무령왕비를 복원한 사례를 소개하였다. 특히 여인을 주인공으로 한 표준영정은 13점에 지나지 않고 더구나 고려 시대의 여성 표준영정은 지정되어 있지 않다. 따라서 고려 시대 초상화 연구를 위해서라도 노국대장공주를 단독으로 그린 표준영정의 제작을 제안하였다. 무엇보다 무령왕의 표준영정은 지정되어 있지만, 무령왕비의 표준영정은 제작되어 있지 않은 점을 감안하여 본 연구가 추후 무령왕비 표준영정 제작에 동기를 부여할 수 있을 것으로 기대된다.

둘째, 무령왕릉 출토유물을 통해 백제의 귀걸이·목걸이·팔찌·관식 등 다양한 장신구에 나타난 문양의 조형과 상징·기법 등을 알아보았고, 복식 관련 문헌 기록 등을 구체적으로 살펴보았다. 백제 문양은 화려하지는 않지만, 격조 있는 조화를 보이는 토기나 기와 벽돌, 온화한 불상의 미소와 선들의 유려한 흐름 등에서 소박하고 온화한 유연성을 찾아볼 수 있다. 백제문양은 용문·봉황문·어린문·두꺼비문 등의 동물문과 수목문·연화문·인동문 등 식물문 그리고 격자문·귀갑문·거치문·원문 등의 기하문이 있다. 또한 관모·금제 釵(뒤꽂이)와 銀簪(은비녀)·頸飾(목걸이)·釧(팔찌)·飾履(신) 등의 백제의 장신구에 대해서도 검토하였다. 특히 무령왕릉에서 출토된 금제관식·耳飾·帶金具·大刀·銅盌·銅鏡 등에 대해서는 보다 면밀한 조사 연구가 요구된다.

셋째, 앞에서 다루어 온 자료를 바탕으로 왕비의 초상을 추정 제작해 보았다. 그에 앞서 회화문화재의 모사복원이 갖는 의미와 이에 따른 재료, 왕비의 두침과 족좌의 도상적 특징과 현상을 살펴보았고, 두침과 족좌에 대해 적외선 촬영을 바탕으로 한 고색추정복원모사를 디지털 방식으로 재현한 결과를 제시하였다. 두침에 묘사된 서조·비천·어룡·인동·연꽃 등은 주칠 위에 절금법의 귀갑문 안에 세필로 그려진 작은 장식 그림이지만 간결하면서도 세련된 필치는 백제 문화의 우수성을 보여준다.

넷째, 왕비의 초상을 추정 제작하는 일은 유물을 통한 상상에 의한 것이다. 이는 역사성이 배어있는 만큼 그 시대의 사상이 바탕 되었다. 본 연구에서는 무령왕릉에서 발굴된 유물과 나타난 문양을 최대한 활용하고 재료 및 제작기법 또한 우리 전통회화 기법과 조선 시대 인물 표현법, 서양화법을 병행·반영하였다. 전반적으로 본 연구에서는 전통과 현대 미술의 장단점을 적절히 혼용하고 追寫의 방법으로 표현하였다. 백제의 여인은 <정읍사> 등에서 볼 수 있듯, 지고지순한 사랑으로 절의를 지키는 온순한 여인상이 대표 이미지로 인식된다. 그러나 왕비의 초상은 일반인으로의 모습이 아닌 궁중 인물을 추정 제작하는 것인 만큼 인자함과 냉엄함을 함께 풍기며 화려하고 기품 있는 모습으로 표현해보고자 하였다. 또한, 전신입상의 정면상을 전체적인 배경을 단순히 하여 화면 전체에 크게 표현하였다. 이는 인물 형상에 더 집중할 수 있도록 하기 위해서이다.

한 인물을 그리는 일은 외형적 묘사를 사실적으로 표현하기보다는 인물의 내면을 파악하여 그 정신과 사상까지도 끌어낼 수 있어야 한다. 따라서 왕비초상을 추정 제작하기 전에 습작의 필요성을 느꼈다. 그에 따라 정면을 응시한 <윤두서 자화상>을 방작 하였다. 정면상은 가장 그리기 어렵지만, 어진의 경우와 같이 왕의 위용을 나타내기 위한 가장 바람직한 방법이다. 따라서 정면상은 왕비의 위용을 표현하기 위해서도 가장 적절하다고 판단된다.

특히 추정 제작한 왕비의 턱선은 둥근 얼굴의 정면상의 공수자세로 표현하였고, 귀는 조금 크게 표현하였다. 눈매는 너무 작지 않고 미간을 넓게 표현하여 인자함을 표출하였다. 코와 입은 서양화법으로 표현하였다. 왕비의 장신구는 순금을 사용하여 오라관에 금관식·귀걸이·목걸이 등으로 화려함과 기품을 더하였다.

왕비의 복식은 앞서 고분벽화 등에서 검토해 본 춤이 긴 저고리와 주름치마를 표현했고, 저고리는 습袵으로 되어 있으며, 또 소매 끝에는 저고리의 바탕색과 다른 색깔의 襈이 달려 있고, 치마는 빨강·파랑·노랑 등의 색동의 주름치마였음을 바탕으로 하여 왕이 소매가 큰 자주색 도포를 입었다는 문헌 기록을 충실히 반영한 기조에 재현한 한복 연구가 권진순의 상상을 참고하였다. 즉, 권진순에 의해 재현되어 2017년 5월 몽골 한국대사관 주최 '한국의 전통 복식부터 현대 복식까지'라는 주제로 울란바토로에서 열린 패션쇼에 출품되었던 왕비복을 참고로, 본 연구자는 무령왕비 관식이나, 벽돌의 인동문·수막새의 연화문·무령왕릉 출토유물의 구슬·두침의 문양 등 백제의 다양한 문양을 참고하여 제작한 것이다. 이 부분에서 실제 문양과 회화로 표현되는 복식에 어울리는 문양으로의 표현에 한계와 고민이 있었다.

배경색은 석청을 선택하여 왕비의 품위가 드러나도록 표현하였다. 석청의 파란색에서 느껴지는 무한한 영속적 신비감을 통해 심미감을 드러내고자 한 것이다. 얼굴의 음영은 서양화의 명암법을 사용하여 눈의 검은자위, 콧방울, 입술의 표현에서 빛의 반사를 나타냈다. 이목구비는 귀는 조금 크게 눈·코·입은 지나치게 크지 않도록 적절하게 배치하여 최대한 자연스러운 형상을 드러내고자 하였다.

관모는 문헌 기록을 참고하여 오라관의 측면 금관식으로 표현하였고, 오라관 장식으로는 오각형의 금박 편 장식이 머리 주변에서 발견되었고 사방으로 작은 바늘구멍이 보이며 그 크기의 배열이 오라관 둥근 테의 돌림 장식으로 유추하여 장식하였다. 또한 오라관식은 화염문을 약간 과장된 모습으로 순금박을 이용하여 화려함을 더 했다.

대수포의 의습선은 일정한 선을 유지하는 철선묘로 색 선과 금 선의 이중선을 사용하였고, 복식에 나타난 문양이나 얼굴선 등은 유려한 선을 쓰고자 하였다. 치마 부분에서는 고구려 벽화나 고송총 벽화에서 볼 수 있는 색동의 치마 모습을 오방 간색과 무령왕릉에서 출토된 구슬에서 볼 수 있는 색으로 표현하였다.

사용한 재료는 모사 복원 재료의 특성을 도입하였다. 바탕재는 3합의 장지로 전주한지를 사용하였고, 색재는 광물성·식물성·동물성의 천연·인공원료의 염료나 안료·순금분 등을 혼용하였다. 3합의 장지의 사용으로 배접이나 초상화 기법에 많이 사용되었던 배채법은 사용하지 않고 명반과 호분을 넣은 호분아교반수를 기초로 하여 중첩에 의한 전통채색화기법으로 제작하였다. 배경에 질감이나 요철이 필요한 경우에는 수정말, 방해말 등 광물질을 이용하지만 본 연구에서는 인물 부분의 평활성을 유지하며 표현하기 위해 먹을 이용한 바탕칠과 배경부분만 수정말을 사용하는 등 화면 의 효과를 위해 적절하게 나누어 표현하였다. 특히 高粉을 이용한 요철 표현은 높이를 같이하고 매끄럽게 표현해야 하므로 매우 힘든 작업이다. 실제로 이 요철 표현을 위해 많은 시간을 투여했지만 그다지 만족할 만한 결과를 얻지 못했다는 연구의 한계가 있다.

초상화의 제작기법을 연구하기 위해서는 먼저 임모를 통한 모사 제작이 선행되어야 한다. 연구자 또한 방작으로 기법을 익혀 초상 추정 제작에 임하였다. 무엇보다도 왕비초상 추정 제작의 의의는 우리 고대 역사를 인물화란 시각적 접근 방식으로 시도하여 우리의 자긍심과 정체성 확립을 위한 관심을 높일 수 있을 것이다. 확장하여 앞서 언급된 왕비의 두침과 족좌의 고색추정복원모사의 디지털 방식의 재현 또한 현대의 다양한 콘텐츠를 이용하여 우리나라에 소장되어 있지 않은 많은 빛나는 문화유산의 또 다른 방식의 전승 방법일 것이며, 더 나아가 다양한 미술의 조형 형식으로 표현된 방식이 교육적 활용과 학문연구로 이끄는 데 의의가 있다.

초상 제작에 대해서 사상적으로는 더 이상의 연구가 필요치 않을 만큼 많은 연구가 이어졌으나, 응용 학문에서는 해결 과제가 산적해 있다. 본 연구를 통해 백제 왕비의 형상을 회화적으로 개발하여 백제의 뛰어났던 미감에 대한 현대인들의 관심 유도와 자긍심을 고취 시킬 수 있을 것으로 기대된다. 또한 백제 왕비 추정 초상은 인물·복식·장신구 등 총체적인 고찰의 결과를 도입하여 제작한 것인 만큼 창작된 작품은 교육 자료로도 활용될 수 있을 것이다.

지금까지 '백제의 像'을 추적해온 일이 비과학적인 방법이라는 비판이 따를 수도 있을 것이다. 그러나 이는 백제의 궁중 인물의 형상이 없는 현재 상태로는 누구도 비판하기 어려울 수 있다는 역설이기도 하다. 따라서 추후 관련 유물의 발굴에 대한 기대 또한 크다. 본 연구자는 백제인의 용모가 고구려나 신라인과 크게 다르지는 않고 절대 권력자인 왕과 왕비의 상은 일반인과 다른 신비적인 존재로 인식되어 왔음에 기인한다. 따라서 비록 왕과 왕비의 생전 용모를 분명하게 알 수는 없지만, 화려한 치장을 통해 용모 상의 차별이 있었을 것으로 추정된다. 생전의 치장은 사후까지 이어져 무덤 양식에서부터 시체 안치와 치장에 이르기까지 특별하게 취급되어왔다.

아직 백제의 왕과 왕비의 像을 직접적으로 보여주는 회화 작품은 발견되지 않았고, 몇 점의 표준영정으로 제시는 되었지만 정작 본 연구의 주제인 무령왕비의 상을 추적하는 일은 요원하기만 할 뿐이다. 본 연구를 통해 미약하지만, 백제 왕비 초상의 추정 제작을 한 결과가 추후 유물이나 고분벽화를 통해 인물의 像을 추정하기 위한 연구에 일조되기를 기대한다.

다시 만난 세계, 대백제
시간의 환원과 감각의 수렴

실제의 모습을 알 수도 없고 전하지도 않는 인물인 백제 왕비의 초상을 제작하는 일은 화가로써는 가슴 뛰는 설렘을 갖게 하는 일이 아닐 수 없다. 분명 그 시대를 풍미했을 위엄 있고 존엄한 실존 인물이었으나 형상이 전하지 않으므로 그저 유물에 의한 상상일 수밖에 없다. 그러나 역사 속 인물을 추정 제작하는 일은 역사와 함께 그 시대의 사상이 바탕이 되어야 한다는 생각으로 무령왕릉의 출토유물인 백제의 귀걸이·목걸이·팔찌·관식 등 다양한 장신구에 나타난 문양이나 장식물 등의 자료를 최대한 활용하여 제작했다.

전체적인 작품의 분위기는 우리 전통 오방 정색과 간색의 적절한 사용으로 우리 전통회화의 고대뿐만 아니라 조선시대의 인물 표현법을 아울러 충실히 반영해야 함을 기조로 하여 전통과 외래 미술의 장단점을 적절히 혼용하여 백제 왕비초상 추정 제작에 반영하였다.

초상 제작에 사용한 바탕재는 비단과 함께 가장 널리 사용된 재료인 종이 중 3합의 장지로 우리나라 전주한지를 사용하였다. 한지는 비단에 비하여 내구성이 뛰어나 오래도록 변하지 않는 재료이다. 색재로는 광물성·식물성·동물성의 천연·인공 원료의 염료나 안료·순금분 등을 적절하게 혼용하여 사용하고, 접착제는 가장 널리 쓰이는 아교를 이용하여 고착하며 중첩에 의한 전통채색화 기법으로 제작하였다. 채색화는 바탕재 위에 색을 쌓아 올리며 중첩에 의해 표현되는 기법으로 우리나라는 고대 무덤의 벽화에서 그 기원을 시작한다. 수묵화의 一筆揮之로 빠른 시간에 정신성을 표현해 내는 것에 비하여 작업과정이 오래 걸리며 수묵화와 대별되는 회화 기법이다. 이렇게 색을 반복적으로 쌓아 중첩되어 드러나는 색으로 표현되는 형상을 창작하는 본인의 작업 방식으로 백제 왕비의 형상을 추정하여 나타냈다.

이렇게 완성된 백제 왕비의 '다시 만난 세계'로의 새로운 시도(New Initiative)를 통해 디지털 프린팅 전시로 재구성해 보았다.

색은 우리에게 보이는 모든 개체의 표면에 부여되는 것이다. 화가들은 그러한 색의 발색에 대한 연구나 어떻게 하면 더욱 아름답거나, 강렬하거나 등 각자의 심성 발로에 따라 사물에 색을 부여하고 그와 어울리는 다른 색을 배색하려고 노력한다. 그러기 위해 여러 색을 섞기도, 다른 물질을 끌어들이기도, 덜어내기도 한다. 새로운 시도로 백제 왕비 제작에 쓰인 오방정·간색의 난수 발생에 의한 색 변화와 일정 부분만을 발췌하여 구성한 작품은 또 다른 느낌의 발현이다.

무령왕릉 출토 왕비의 頭枕(목베개)에는 瑞鳥·飛天·魚龍·忍冬·蓮花 등이 묘사되어 있다. 비록 朱漆金箔 龜甲文 안에 세필로 작게 그려진 장식 그림이지만 간결하면서도 세련된 필치가 눈길을 끈다. 죽은 자의 환생을 기원하는 '연화 화생' 문양을 유물 적외선 촬영에 근거하여 복원하고 진사로 칠해진 붉은 바탕을 오방 간색으로 디지털 색 변환 방식의 작품 또한 색다른 세계로의 이끌림을 유도하는 표현이다.

이번 전시는 우리 고대 유물을 통해 그 시대성에 대한 이해와 우수한 조형적 미감에 대해 파악하고, 다양하게 접근하여 시각화된 백제 왕비 초상을 기조로 디지털화 재구성하였다. 이는 우리 문화에 대한 자긍심과 관심도를 높이고 추후 우리나라에 소장되어 있지 않은 많은 문화유산을 현대적 콘텐츠 형식으로 개발·복원할 수 있는 가능성을 제시하고자 한다. 더 나아가 다소 소외된 전통채색화의 조형 형식과 표현 방식이 현대미학적으로 연구 발전되기를 기대한다.

AI와 함께 채워가는 백제 왕비 초상

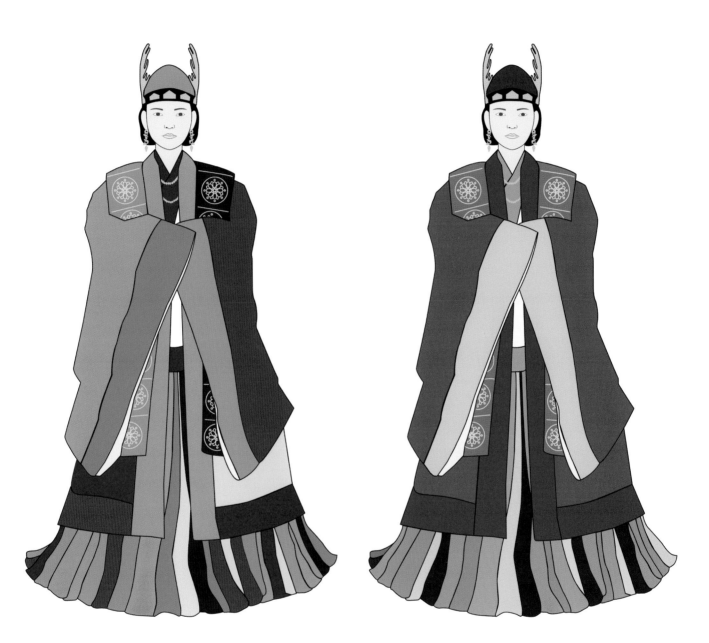

시각화된 백제 왕비 초상은 교육 자료로 활용되어 당대에 대한 지식을 함양하고,
우리 것에 대한 관심과 자긍심을 높일 수 있다.

두침과 족좌의 문양을

기호화 혹은 상징화 하여‥

'연화화생' - 더 없이 안락해서 아무 걱정이 없기를 바라며 연꽃에서 만물이 신비롭게
탄생된다는 불교의 생성관이다.

무령왕비 목베개

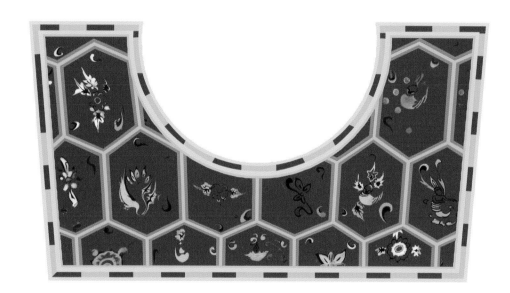

김은희 작가는 시간의 흐름에서 열화 된 무령왕비의 두침과 족좌를 '고색추정모사방식'
을 통해 재현함으로써 한국화와 디지털 미디어 아트를 접목한 전통의 현대적 변용을
성공적으로 이뤄내며 한국화의 새로운 지평을 열었다.

무령왕비 발받침

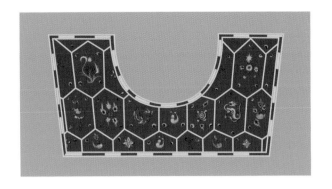
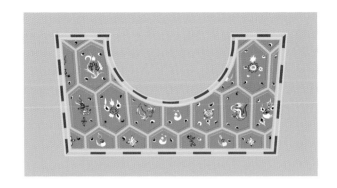
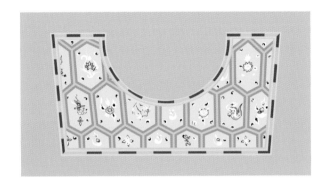
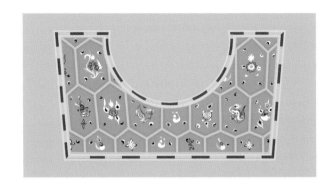
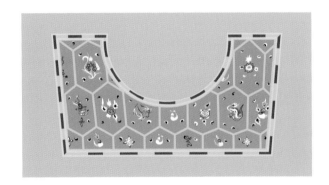
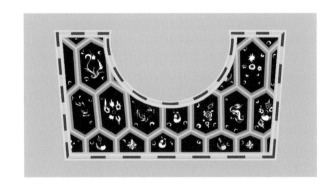
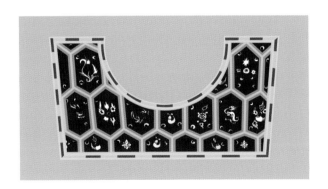
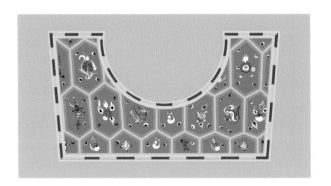

상징성을 수용한 재해석

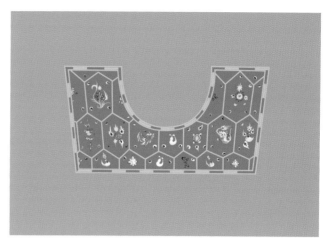
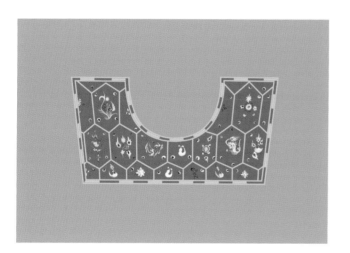

연화화생

김은희 KIM EUN HEE

학력

박사 | 원광대학교 일반대학원 한국문화학과
       (회화문화재보존수복 전공)

석사 | 한남대학교 일반대학원 미술학과(한국화 전공)

학사 | 한남대학교 사범대학 미술교육과 학사

경력

현재 |

한채색연구소 대표

한남대학교 미술교육과 강사

한국전통민화협회 고문

㈔한국민화협회 강사

대전광역시 초대작가

대전지역문화협력위원회 위원

대전문화재단 심의위원

테미창작센터 자문위원

역임

가천대학교, 중부대학교, 우송정보대학교 강사

대전광역시미술대전 운영위원 및 심사위원

전국온고을미술대전 운영위원 및 심사위원

충청미술전람회 운영 및 심사위원

대한민국회화대전 운영위원

소사벌미술대전 운영위원

한국미술협회 대전시 지회 이사

TJB '길을 떠나다', '화첩기행' 리포터

개인전 및 기획전 | 1997-2024 14회

2024. 03   13회 기획전 '초록으로' (세종보 갤러리 세종)

2024. 02   12회 갤러리동연 기획전 '관습을 넘어선 새로운 길' (갤러리 동연 서울)

2023. 04   11회 개인전 '감각과 질료' (젠 갤러리 대전)

2021. 11   10회 개인전 '다시 만난 세계' (모리스 갤러리 대전)

2020. 10   9회 개인전 '비옵니다' (M 갤러리 대전)

2019. 12   8회 기획전 (아트허브 온라인 갤러리 대전)

2016. 12   7회 개인전 '흐르는 단상, 그리고' (메르헨 갤러리 대전)

2015. 11   6회 개인전 '꽃처럼 별처럼' (무역전시관 대전)

2014. 12   5회 개인전 '길을 떠나다' (무역전시관 대전)

2013. 09   4회 개인전 '길 위의 날들' (M 갤러리 대전)

2006. 10   3회 개인전 '시간의 흔적' (평택호 갤러리 평택)

2004. 09   2회 개인전 '또 다른 세상' (한가람 미술관 서울)

1997. 11   1회 개인전 (홍인갤러리 대전)

단체전 | 1989-2024 국내외 전시 300여회

2024. 03   어쩌다, 에코 페미니즘 (Riverside Gallery, 뉴저지)

2024. 02   K-DO AHA 전 (갤러리 정 신사점 서울)

2023. 10   '색채로 기록한 시간의 역사' 춘추회 50주년 기념전 (인사아트센터 서울)

2023. 10   장르와 경계 사이, 당대 한국화의 현상과 방향 (세종문화회관 1관 서울)

2023. 09   소통을 위한 한 걸음 더 (고트빈 갤러리 대전)

2023. 08   한국화 동질성전 (제주 문예회관 제주)

2023. 07   다시, 꿈을 그리다 (대전시청 1전시실 대전)

2023. 04   PINTURA MINHWA (스페인 말라가 시청사 말라가)

2023. 03   회향전 (금봉미술관 광주)

2023. 02   아트페스타 제주 2023 (ICC 국제컨벤션센터 제주)

2022. 12   서울아트쇼 (코엑스 1층 A홀 서울)

2022. 12   한·일 채색화의 오늘과 내일전 (국회의사당 의원회관 서울)

2022. 11   '오래된 미래'와 '새로운 과거' (세종문화회관 미술관 서울)

2022. 09   '빛과 색상 위로 노닐다' (동덕 아트갤러리 서울)

2022. 09   THE NEW PAST (갤러리 웨스턴 LA.)

2022. 09   2022 BAMA 부산 국제 호텔 아트페어 (그랜드 조선 부산)

2022. 08   이해와 소통-채원전 (고트빈 갤러리 대전)

2022. 04   우연히 봄 초대전 (윤 갤러리 대전)

2022. 01   6色 6形 초대전 (갤러리 영원 서울)

2021. 11   다 다름 전 (모리스 갤러리 대전)

2021. 11   문화재 재현 방법과 모색전 (익산예술의전당 익산)

2021. 10	한일 교류전 (교토 갤러리 일본)
2021. 10	일상을 노래하다 -춘추회 정기전 (백송화랑 서울)
2021. 10	가톨릭미술가회 정기전 (우연갤러리 대전)
2021. 09	'현실과 동행' -채원전 (고트빈 갤러리 대전)
2021. 09	신개념전 (우연갤러리 대전)
2021. 06	생태,생태예술과 여성성 (동덕아트 갤러리 서울)
2021. 06	대전세종연구원 개관 초대전 (대전세종연구원 대전)
2021. 04	VR 가상 공간이 열리다 (아트 허브 VR가상갤러리)
2021. 03	행복열차 전 (대전 이공 갤러리)
2020. 10	행복팔경 (세종문화회관 미술관 서울)
2020. 09	'이해와 동행' 전 (고트빈 갤러리 대전)
2020. 05	한껏, 아름다운 그림 초대전 (중구문화원 대전)
2020. 05	'마음으로 보는 빛과 색' 춘추회 정기전 (동덕 아트 갤러리 서울)
2019. 10	한국화여성작가회 창립20주년 기념 '두 겹의 그림자 노동' (세종문화회관 서울)
2019. 10	심상의 색·형상의 빛 (세종문화회관 미술관 2관 서울)
2019. 10	원광대학교 회화문화재보존수복 동문전 (전주 미술관 전주)
2019. 11	11-111-1-1-11-11 초대전 (모리스 갤러리 대전)
2019. 09	춘추회 정기전 (세종문화회관 미술관 2관 서울)
2019. 06	유무상생 전 (금봉미술관 광주)
2019. 01	2018 대전시립미술관 신소장품 전 (시립미술관 대전)
2018. 12	PINKMAN (자이프르 미술관 인도)
2018. 10	'빛과 색의 울림' (세종문화회관 서울)
2018. 08	Korea Live Art Fair (루앙 미술관 프랑스)
2018. 05	線-필연적 관계성 전 (조선일보 미술관 서울)
2017. 07	몽골 대사관 초청 전시 (몽골 국립 박물관 몽골)

그 외 국내외 전 다수 출품

작품소장

대전시립미술관, 한남대학교, 아주건설㈜, ㈜이로움, ㈜아화골프, 다우건설㈜,
㈜아이엠티브이, 대전삼육중학교 등 이외 다수 개인 소장

방송활동 및 작품협찬

TJB '화첩기행' 리포터 / TJB '길을 떠나다' 리포터
JTBC 드라마 '아름다운 세상' / SBS 드라마 '다시 만난 세계'

협회활동

㈔한국미술협회, 대전광역시 미술협회, 한국민화학회, 청림회, 국제교류회, 한일교류회,
카톨릭미술협회, 채원회, 한국화 동질성회, 한국화여성작가회, 춘추회원

色 · 우리색

색으로 채워진 여백